O Capote

seguido de
O Retrato

Livros do autor na Coleção **L&PM** POCKET:

O Nariz seguido de *Diário de um louco*
O Capote seguido de *O Retrato*

Nicolai Gogol

O Capote
seguido de
O Retrato

Tradução de ROBERTO GOMES

www.lpm.com.br

Coleção **L&PM** POCKET vol. 202

Texto de acordo com a nova ortografia.

Primeira edição na Coleção **L&PM** POCKET: maio de 2000
Esta reimpressão: agosto de 2022

Capa: L&PM Editores
Revisão: Jó Saldanha, Renato Deitos e Camila Kieling

ISBN 978-85-254-1032-0

G613c   Gogol, Nikolai Vassiliévitch, 1809-1852
        O Capote /e/ O Retrato / Nicolai Vassiliévitch Gogol;
    tradução Roberto Gomes. – Porto Alegre: L&PM, 2022.
    144 p. ; 18 cm – (Coleção L&PM POCKET)

    1. Ficção russa-contos. I. Título. II. T.O retrato. III. Série.

                      CDD 891.731
                      CDU 882-34

Catalogação elaborada por Izabel A. Merlo CRB

© da tradução, L&PM Editores, 2000

Todos os direitos desta edição reservados a L&PM Editores
Rua Comendador Coruja, 314, loja 9 – Floresta – 90.220-180
Porto Alegre – RS – Brasil / Fone: 51.3225.5777

PEDIDOS & DEPTO. COMERCIAL: vendas@lpm.com.br
FALE CONOSCO: info@lpm.com.br
www.lpm.com.br

Impresso no Brasil
Inverno de 2022

Sumário

O Capote / 7

O Retrato / 51

Cronologia de Gogol / 125

O Capote

No ministério de... Não, é melhor não dizer seu nome. Ninguém é mais suscetível do que funcionários, empregados de repartições e gente da esfera pública. Nos dias que correm, todo sujeito acredita que, se nós atingimos a sua pessoa, toda a sociedade foi ofendida. Recentemente, é o que dizem, o chefe de polícia de não sei qual cidade produziu um informe no qual diz sem meias palavras que o respeito às leis se perdeu e que seu sagrado nome foi pronunciado "em vão". Em apoio ao que afirma, juntou à petição uma volumosa obra romanceada na qual, a cada dez páginas, surge um chefe de polícia não raro num estado de lamentável embriaguez. Assim, para evitar tais suscetibilidades, chamemos o ministério em questão simplesmente de *um certo ministério*.

Logo, havia *num certo ministério um funcionário*. Tal funcionário não saía do costumeiro: pequeno, raquítico, ruivo, tinha a vista curta, a testa calva, rugas ao longo das bochechas e uma destas peles com uma tonalidade que chamaríamos de hemorroidosa... Que se pode fazer, a culpa é do clima de Petersburgo! Quanto ao grau (pois entre nós é sempre por esta indicação que se deve começar), é o eterno *conselheiro titular* do qual zombaram amplamente um grande número de escritores daqueles que têm o louvável hábito de se fixar em sujeitos que são incapazes de mostrar os caninos. Ele se chamava Bachmatchkin, nome que se origina, como é fácil ver, de *bachmak*, sapato. Ignora-se, no entanto, como se produziu a derivação. O pai, o avô, o próprio cunhado, e todos os parentes de Bachmatchkin sem exceção usavam botas que recebiam novas solas a cada dois ou três anos. Seu prenome era Akaki Akakiévitch. Meus leitores talvez achem este nome extravagante e rebuscado. Posso garantir que não se trata disso e que certas circunstâncias não me permitem lhe dar um outro. Eis como as coisas se deram: Akaki Akakiévitch nasceu ao anoitecer do dia 23 de março, se estou bem lembrado. Sua pobre mãe, uma esposa de um funcionário muito estimado sob todos os aspectos, como era sua obrigação, mandou batizá-lo. Ela ainda estava de resguardo em seu leito, tendo a sua direita o padrinho Ivan Ivanovitch Iérochkin, um homem excelente, chefe do escritório do Senado, e a madrinha Irene Sémionovna Biélobriouchkov, mulher de um oficial de polícia, dotada de raras virtudes. Foram submetidos três nomes à escolha da parturiente: Mokia, Sosie e Cosdazat, o mártir. "Que raios de nomes! Disse ela. Não quero nenhum destes!" Para agradá-la, o almanaque foi aberto em outra página e três novos nomes foram sugeridos: Trifili, Dulas e Barachisi. "É de fato um castigo de Deus, resmungou a boa senhora. Nada de nomes impossíveis. Jamais encontrei nomes parecidos com estes! Que seja Baradat ou Baruch, mas Trifili e Barachisi!" Virou-se mais uma página e a leitura caiu sobre Pausicaci e Bactici. "Vamos lá!, disse a acamada. É certamente um sinal do destino. Nestas condições, o melhor é lhe dar o nome do pai. O pai se chamava Akaki. Que o filho se chame Akaki." Eis a razão pela qual nosso herói se chama Akaki Akakiévitch. A criança foi batizada e começou a chorar e a fazer caretas como se pressentisse que um dia seria conselheiro titular. Foi assim que as coisas ocorreram. Nos sentimos obrigados a fornecer estes detalhes para que os leitores possam se convencer que tal prenome foi ditado exclusivamente pela necessidade[1].

Ninguém lembrava em que época Akaki Akakiévitch havia ingressado no ministério e quem o havia recomendado. Por mais que mudassem os diretores, os chefes de divisão, os chefes de serviços e todos os demais, eles o encontravam sempre no mesmo lugar, na mesma atitude, ocupado com a mesma tarefa expedicionária, se bem que na sequência tenham sido levados a concluir que ele viera ao mundo usando uniforme e com a cabeça raspada. Ninguém lhe votava qualquer consideração. Longe de se erguerem à sua passagem, os porteiros prestavam menos atenção à sua aproximação do que ao voo de uma mosca. Seus superiores o tratavam com uma frieza despótica. O primeiro subchefe que aparecia lhe atirava as papeladas diante de seu nariz sem nem mesmo ter o trabalho de dizer: "Faça o favor de copiar isto", ou: "Eis aí um processinho da melhor qualidade", como é uso entre burocratas de boa educação. Sem lançar um só olhar para a pessoa que lhe impunha este trabalho, sem se preocupar se ela tinha o direito de fazê-lo, Akaki Akakiévitch olhava por alguns momentos para o documento e, em seguida, se preparava para copiá-lo. Seus jovens colegas gastavam com ele o arsenal de gozações correntes no escritório. Contavam em sua presença toda espécie de historietas inventadas a seu respeito. Insinuavam que ele aturava os maus tratos de sua locatária, uma velha mulher de sessenta e dois

---

[1]. Gogol sempre teve uma predileção pelos prenomes raros. Todos os santos citados aqui figuram, em todos os casos, no *Dicionário de hagiografia* de Dom Baudot.

anos, e perguntavam quando iria casar com ela. Jogavam papel picotado sobre sua cabeça, uma "precipitação de neve", exclamavam. Mas Akaki Akakiévitch permanecia impassível. Era como se ninguém estivesse à sua frente. Ele não permitia que o distraíssem de suas tarefas e todas estas provocações não o faziam cometer sequer um erro. Se a gozação ultrapassava os limites, se alguém cutucava seu cotovelo ou o arrancava de suas obrigações, ele se contentava em dizer:

"Deixem-me! O que eu fiz para vocês?"

Havia algo de estranho nestas palavras. Ele as pronunciava num tom de tal forma miserável que um jovem, que ingressara recentemente no ministério e que acreditara ser uma boa coisa imitar seus colegas ridicularizando o pobre homem, parou de repente como se tivesse sido golpeado no coração. Desde então, o mundo tomou a seus olhos um novo aspecto. Uma força sobrenatural pareceu desviá-lo de seus camaradas, os quais ele tomara de início por pessoas bem-educadas. E por muito tempo, durante momentos de alegria, ele revia o pequeno funcionário de cabeça calva e escutava suas palavras cortantes: "Deixem-me! O que eu fiz para vocês?" E nestas palavras cortantes sentia ecoarem outras palavras: "Eu sou teu irmão!" Assim, o jovem infeliz cobria seu rosto e mais de uma vez no curso de sua existência ele arrepiou-se vendo o quanto o homem acumula em si de desumanidade, ao constatar que grosseira ferocidade se esconde por debaixo das maneiras polidas, mesmo, ó meu Deus!, entre aqueles que o mundo considera pessoas honestas...

Dificilmente encontraríamos um funcionário tão profundamente dedicado a seu trabalho quanto Akaki Akakiévitch. A ele se entregava com todo zelo; não, isso seria pouco: a ele se entregava com todo amor. Esta eternal transcrição lhe parecia um mundo sempre atraente, sempre diverso, sempre novo. O prazer que extraía desta atividade se refletia em seus traços. Quando chegava a certas letras que eram suas favoritas, ele se sentia deliciado, remexia os lábios como se isso o ajudasse em sua tarefa. Era desta forma que se podia ver em seu rosto as letras que traçava com sua pena. Caso se recompensasse dignamente seu zelo, ele teria alcançado, não sem surpresa de sua parte, o título de conselheiro de Estado. Mas ele não havia nunca obtido, para falarmos como aqueles seus colegas gozadores, mais do que um zero bem redondo e hemorroidas no rabo. Entretanto, seria ir longe demais imaginar que jamais demonstravam por ele alguma consideração. Desejoso de recompensá-lo por seus inestimáveis serviços, um bravo diretor confiou-lhe um belo dia uma tarefa mais importante do que as cópias habituais. Tratava-se de extrair de um relatório completamente no ponto uma exposição destinada a outra administração: o trabalho consistiria na troca do título geral e na mudança de alguns verbos da primeira para a terceira pessoa. Este trabalho pareceu tão árduo a Akaki Akakiévitch que o infeliz, coberto de suor, esfregou a própria cabeça e terminou por declarar:

"Não, decididamente, deem-me alguma coisa para copiar".

Desde então foi deixado com suas cópias, fora das quais nada parecia existir para ele. Nem de sua aparência ele costumava cuidar: o paletó de seu uniforme passara do verde ao ruivo farinhoso. Ele usava um colarinho baixo, estreito, na saída do qual seu pescoço, embora curto, parecia de um comprimento extraordinário, como o daqueles gatos de gesso, com cabeça bamboleante, que são oferecidos às dezenas por pretensos "estrangeiros" nascidos em Petersburgo. Havia sempre um fio, uma fitinha, um pedacinho de palha grudados a seu paletó. Tinha a virtude de se encontrar debaixo de uma janela no momento preciso em que por ela eram atirados toda sorte de detritos. Como resultado, cascas de melão, de melancia e de outras bugigangas do mesmo gênero ornavam continuamente seu chapéu. Nem uma só vez em sua vida ele prestou atenção ao espetáculo cotidiano da rua, espetáculo ao qual os jovens funcionários dedicam olhares tão atentos que chegam a distinguir na calçada em frente uma presilha rasgando, o que traz a seus lábios invariavelmente um sorriso zombeteiro. Supondo-se que Akaki Akakiévitch dirigisse os olhos sobre um objeto qualquer, ele deveria nele perceber linhas escritas em sua caligrafia clara e fluente. Se um cavalo subitamente colocasse o nariz sobre seu ombro, bafejando uma verdadeira tempestade em seu pescoço, ele perceberia enfim estar no meio da rua e não mais no meio de uma linha escrita. Voltando a sua casa, ele se colocava de imediato à mesa, engolia sua sopa de couve acompanhada com um pedaço de carne acebolada. Engolia esta mistura sem perceber que gosto tinha, juntamente com as moscas e todos os complementos que o bom Deus se dignara acrescentar conforme a estação. Quando sentia o estômago suficientemente estufado, ele se levantava, tirava de uma gaveta um vidro de tinta e copiava documentos trazidos do escritório. Caso o trabalho acabasse, ele fazia cópias para seu próprio prazer, preferindo, em lugar de peças interessantes pela beleza do estilo, aquelas que eram endereçadas a personagens recentemente nomeados ou colocados nos escalões mais altos.

Há uma hora em que o céu cinzento de Petersburgo escurece completamente, quando este pessoal burocrata, já tendo jantado, cada um segundo suas posses ou suas fantasias, já se sente refeito das preocupações do escritório, dos rangidos das penas, idas e vindas, tarefas urgentes, todas as obrigações que um trabalhador infatigável se impõe muitas vezes sem necessidade. Então, ele se apressa em consagrar o resto de seu dia ao prazer. Os mais atrevidos vão ao teatro. Este vai para a rua para contemplar os mais belos penteados. Aquele encara uma noitada para dirigir cumprimentos a qualquer jovem atraente. Outros, os mais numerosos, vão simplesmente encontrar um colega que ocupa no segundo ou no terceiro andar um pequeno apartamento de duas peças, cozinha, antecâmara e alguma pretensão a estar na moda, uma lâmpada, um bibelô qualquer, fruto de inúmeros sacrifícios, tais como ficar sem jantar, sem passeios, etc. A esta hora, portanto, na qual todos os funcionários se dispersam nas minúsculas residências de seus amigos para aí jogar um uíste[2] infernal enquanto degustam taças de chá acompanhadas de biscoitos de um centavo, fumando longos cachimbos turcos, contando, enquanto se dá as cartas, uma destas fofocas do grande mundo das quais a Rússia não poderia abrir mão, ou requentando, à falta de coisa melhor, a eterna historieta do comandante avisado por um engraçadinho que haviam cortado a cauda do cavalo da estátua de Pedro, o Grande, esculpida por Falconnet. Em resumo, nesta hora em que cada um trata de se distrair, somente Akaki Akakiévitch não se permitia qualquer repouso. Ninguém seria capaz de lembrar-se de tê-lo visto alguma

---

[2]. Jogo de cartas para duas duplas de jogadores, que deu origem ao bridge.

vez numa festa qualquer. Após ter escrito até se fartar, ele se deitava sorrindo por antecipação ao pensar no dia seguinte: que documentos a graça de Deus confiaria a ele para serem copiados? Assim, nesta paz decorria a vida de um homem que, com quatrocentos rublos de vencimentos, se mostrava contente com a própria sorte. E deste modo sem dúvida ele alcançaria uma velhice avançada caso, neste vale de lágrimas, toda espécie de calamidades não estivesse a espera dos conselheiros titulares, do mesmo modo que dos conselheiros secretos, virtuais, áulicos, etc., enfim, dos conselheiros de calibres os mais variados, até mesmo aqueles que não dão nem pedem conselhos a ninguém.

Um poderoso inimigo espreita em Petersburgo as pessoas que gozam de vencimentos de aproximadamente quatrocentos rublos. Este inimigo é nosso clima setentrional, que no entanto tem a fama de ser muito saudável. Pela manhã, entre oito e nove, naquela hora em que os funcionários se dirigem a seus ministérios, o frio é justamente tão penetrante e ataca com uma tal violência a todos os narizes, sem distinção, que seus infelizes proprietários não sabem onde se abrigar. Quando o frio dá semelhantes piparotes na fronte de altos funcionários, fazendo com que lágrimas escorram de seus olhos, os pobres conselheiros titulares se encontram muitas vezes sem defesa. Não lhes resta senão uma oportunidade de salvação: embrulhar-se em suas magras sobrecasacas e alcançar correndo cinco ou seis ruas o vestíbulo do ministério para aí sapatear até que degelem as faculdades necessárias ao desempenho de seus deveres profissionais. Desde algum tempo, Akaki Akakiévitch percorria correndo esta distância fatal, sentindo-se inteiramente enregelado, especialmente nas costas e nos ombros.

Ele veio a se perguntar se não era culpa de seu capote. Examinou-o quando chegou em casa e descobriu que em dois ou três lugares, precisamente nas costas e nos ombros, o pano havia assumido a transparência de uma gaze e o forro havia praticamente desaparecido. É preciso observar que o capote de Akaki Akakiévitch alimentava também os sarcasmos de sua repartição. Haviam mesmo retirado a nobre denominação de casaco para tratá-lo desdenhosamente por "capote". De fato, a vestimenta tinha um aspecto muito estranho. Sua gola diminuía ano após ano, pois ela servia para remendar outros lugares. Os remendos não colocavam em destaque o valor do alfaiate; o conjunto era pesado e bastante feio. Akaki Akakiévitch compreendeu que deveria levar seu casaco ao alfaiate Petrovitch, que trabalhava em casa no terceiro andar de uma escada de serviço e que, apesar de um olho vesgo e um rosto delgado, reparava muito habilmente as vestimentas e as calças dos uniformes, mesmo as roupas civis, sob condição, bem entendido, que ele estivesse em jejum e não tivesse também outra fantasia na cabeça. Claro, seria aconselhável não nos estendermos muito a respeito deste alfaiate, mas como se tem o costume, nos romances, de não deixar na sombra nenhum traço dos personagens, vamos a ele. Ele só se tornou Petrovitch depois de sua alforria, quando deu para se embriagar, de início no transcorrer das grandes festas, depois em todas aquelas que são marcadas no calendário por uma cruz. Sob este aspecto, ele observava fielmente os costumes ancestrais e, em suas disputas com sua nobre esposa, tratava a esta seja de mundana, seja de alemã. E já que fizemos alusão a esta pessoa, é bom que digamos também aqui duas palavras. Por infelicidade, não se sabia quase nada a seu respeito, salvo que era a mulher de Petrovitch e que ela usava uma touca no lugar de um xale[3]. Não tinha qualquer intenção, pelo que parece, de vangloriar-se de ser bonita. Ao menos, apenas os soldados da guarda ali se dispunham a observá-la sob a touca. Mas, fazendo isso, eles eriçavam seus bigodes e soltavam grunhidos que significavam muito.

Subindo a escada de Petrovitch, escada que, é preciso lhe fazer esta justiça, estava inteiramente rebocada com detritos e águas engorduradas, totalmente infiltradas também deste odor espirituoso que fere os olhos e que se encontra, como ninguém o ignora, em todas as escadas de serviço de Petersburgo – subindo portanto a escada, Akaki Akakiévitch inquietava-se antecipadamente com o preço que Petrovitch pediria e tomava a firme resolução de não lhe dar mais do que dois rublos. A porta do alfaiate estava aberta, sua considerada esposa tendo, ao fritar não se sabe que tipo de peixe, deixado escapar uma fumaça tão espessa que não se distinguia nem mesmo as baratas. Sem ser percebido pela dona da residência, Akaki Akakiévitch atravessou a cozinha e entrou na peça na qual viu Petrovitch sentado sobre uma grande mesa de madeira, as pernas cruzadas como um paxá turco. Seus pés estavam nus, segundo o costume dos alfaiates quando estão trabalhando, e o que saltava aos olhos era seu dedão, que Akaki Akakiévitch conhecia muito bem, e cuja unha deformada era grande e forte como uma carapaça de tartaruga. Petrovitch trazia dependurado em seu pescoço um fio de seda e muitos outros fios, além de uma roupa velha sobre os joelhos. Durante uns três bons minutos, esforçou-se em vão para enfiar a linha

---

3. As mulheres do povo usavam o xale, as pequeno-burguesas, o gorro.

na agulha, o que ele atribuía à obscuridade e à própria linha, a qual censurava em voz baixa: "Vais entrar, sua canalha! Já me irritaste o bastante, maldita!" Akaki Akakiévitch estava desolado por encontrar Petrovitch furioso. Gostava de passar seus pedidos ao alfaiate quando este se encontrava ligeiramente embriagado, ou, como dizia sua mulher, quando "este diabo de caolho tenha enchido bem a caveira".

Neste estado, com efeito, Petrovitch se apresentava compreensivo, acertava descontos, desmanchava-se em agradecimentos. Sua mulher, é verdade, vinha em seguida choramingar junto aos fregueses, assegurando-lhes que o bêbado do seu marido lhes havia feito um preço verdadeiramente muito baixo. Só se ficava livre caso se concedesse em acrescentar uma moeda de dez copeques. No momento, ao contrário, Petrovitch parecia sóbrio e, consequentemente, ríspido, intratável, inclinado a exigir preços fabulosos. Akaki Akakiévitch compreendeu-o de imediato e tentou se esquivar, mas era tarde. Petrovitch já havia fixado nele seu único olho. Akaki Akakiévitch disse mecanicamente:

"Bom dia, Petrovitch!

– Eu lhe desejo um bom-dia, senhor, replicou Petrovitch dirigindo seu olhar para as mãos de seu visitante para ver de que despojos elas estavam carregadas.

– Mas, bom, eis aí, Petrovitch, não é..."

É preciso saber que Akaki Akakiévitch se exprimia o mais das vezes por meio de advérbios, de preposições, ou seja, de partículas inteiramente desprovidas de sentido. Nas situações embaraçantes, ele não terminava suas frases e, muito frequentemente, depois de ter iniciado um discurso deste gênero: "É verdadeiramente de fato... não é...", ele parava bruscamente acreditando ter dito tudo.

"Que há?", perguntou Petrovitch inspecionando com seu olho único o paletó de Akaki Akakiévitch desde a gola até as mangas, sem esquecer as costas, as abas, as casas dos botões, todas estas coisas que aliás ele conhecia muito bem, pois elas eram obra de suas mãos. Mas, o que se pode fazer?, tal é o costume dos alfaiates.

"Eh, bem, não é, Petrovitch..., meu casaco... Em todas as partes, aliás, o tecido continua consistente... A poeira faz com que pareça velho, mas é novo... Não há senão aqui neste lugar, não é... Eis aí, aqui, nas costas... E ademais, este ombro está um tanto puído... E este também, um pouco menos, está vendo?... Pois bem, é tudo. Não se trata de um trabalho muito grande..."

Petrovitch pegou o "capote", estendeu-o sobre a mesa, analisou-o longamente, balançou a cabeça, alcançou sobre a soleira da janela uma caixa de rapé ornada com o retrato de um general cujo nome eu ignoro, pois um retângulo de papel ocupava o lugar do rosto, furado por um golpe de algum dedo. Depois de ter aspirado rapé, Petrovitch examinou o capote junto à luz, colocando-o sobre seus braços esticados, balançou novamente a cabeça, depois a recolocou em posição de examinar o forro, retomou a caixa de rapé, encheu suas narinas, fechou o rapé, recolocou-a na soleira e concluiu finalmente:

"Não, é impossível recuperar este troço aí, está demasiado velho!"

Akaki Akakiévitch sentiu um golpe no coração.

"Mas por qual razão, Petrovitch?, disse ele com uma voz quase infantil. Ele está gasto somente nos ombros. Tu deves ter um pedaço ou dois que...

– Pedaços, isso sempre se encontra, replicou Petrovitch. Mas é impossível fazer com que fiquem no lugar, o tecido está gasto até as cordas, veja só! Isso aqui se desfiará por inteiro assim que eu meter aí uma agulha!

– E daí? O que tem? Coloca assim mesmo um retalho, vamos ver o que acontece!

– E no que deseja que eu costure, este tal retalho? Não, vá por mim, este tecido só é um tecido na falta de outro nome. O senhor mesmo está vendo que não passa de um farrapo.

– Não, não... Dê um jeito. Prenda um retalho como for possível...

– Não, cortou Petrovitch, é impossível! Em seu lugar, ao chegar o frio, eu cortaria este capote em tiras com as quais embrulhar os pés, já que meias, como sabe, não aquecem e são uma invenção dos alemães para ganhar ainda mais dinheiro e encher seus bolsos. (Petrovitch implicava de bom grado com os alemães.) E mandaria confeccionar um casaco novo."

A palavra "novo" quase cegou Akaki Akakiévitch. Todos os objetos se embaralharam bruscamente diante de seus olhos numa espécie de bruma através da qual ele não distinguiu mais do que o general com rosto de papel que ornava a caixa de rapé de Petrovitch.

"Um casaco novo! Murmurou ele afinal, como se fosse num sonho... Mas onde eu iria arranjar o dinheiro?

– Sim, sim, um novo, repetiu fleumaticamente aquele monstro do Petrovitch.

– E se, por acaso, eu encomendasse um novo, o que é que... Vejamos... não é...

– Quanto iria custar, é isso que quer saber?

– Precisamente.

– Aproximadamente três cédulas de cinquenta rublos", disse Petrovitch apertando os lábios. Ele amava estes efeitos espetaculares, sentia prazer em embaraçar as pessoas só pelo prazer de observar que cara iriam fazer.

"Cento e cinquenta rublos por um casaco!, exclamou, pela primeira vez em sua vida, sem dúvida, o infeliz Akaki Akakiévitch, que ordinariamente falava com uma voz muito baixa.

– Certamente, disse Petrovitch. E isso ainda depende do tipo de casaco que for escolhido. Se quiser uma gola de marta e um capuz com forro de cetim, será preciso calcular duzentos rublos.

– Em nome dos céus, Petrovitch, implorou Akaki Akakiévitch sem querer entender o propósito do alfaiate, nem prestar atenção a seus truques. Em nome dos céus, remende-o de um jeito ou de outro, de tal modo que ainda sirva para alguma coisa!

– Não. Eu lhe afirmo que eu perderia meu trabalho e meu tempo e, o senhor, seu dinheiro."

Com estas palavras, Akaki Akakiévitch deixou a peça completamente aniquilado. E muito tempo depois de sua partida, Petrovitch permaneceu imóvel, os lábios pressionados, muito satisfeito por haver salvaguardado a sua dignidade e a dignidade de sua arte.

Uma vez na rua, Akaki Akakiévitch pensava que acabara de ter um pesadelo. "Eis aí um caso! se dizia ele. Jamais acreditaria que... não é..." E após um longo silêncio, ele continuou: "Não, eu não acreditaria que..." Seguiu-se novamente um longo silêncio. Enfim, ele acrescentou: "Não, na verdade... é algo no qual não se pode acreditar..." Assim, ao invés de voltar para casa, ele se dirigiu, sem o notar, para o lado oposto. No caminho, um limpador de chaminés chocou-se com ele e sujou seu ombro. Uma avalanche de cal desabou sobre ele do alto de uma casa em construção. Ele não percebeu nada disso e só deu conta de si quando tropeçou em um policial, o qual, a alabarda ao lado da cintura, agitava um chifre de tabaco em sua mão calosa. Foi ainda preciso que o homem lhe gritasse:

"Que tens para trombar na fuça dos outros? A calçada é para quê?"

Esta interpelação fez com que abrisse os olhos e voltasse sobre seus passos. Entrando em sua residência, ele pôde afinal analisar suas ideias, examinar friamente a situação, falar consigo mesmo, não mais através de frases truncadas, mas num tom de judiciosa franqueza do qual nos servimos para discutir com algum amigo sensato um negócio que fere particularmente nosso coração. "Não, se disse Akaki Akakiévitch, hoje não há meios de alguém se entender com Petrovitch. Ele está num estado tal... Deve ter apanhado da mulher. Vou voltar domingo pela manhã. Depois do porre do dia anterior, eu o encontrarei com o olhar vesgo e a cara sonolenta. Ele vai querer beber algo para reencontrar sua confiança, e como sua mulher não lhe dará nem mesmo um centavo, então eu, eu lhe darei uma moeda de dez copeques. De imediato ele se mostrará mais conciliador e então, não é..., o casaco..."

Este raciocínio recuperou a confiança de Akaki Akakiévitch. No domingo seguinte, ele espionou a mulher de Petrovitch e, assim que a viu sair, ele foi ao encontro do espertalhão. Este se encontrava completamente sonolento, o olhar estrábico e a cabeça baixa. Mas, assim que soube porque Akaki Akakiévitch voltara, Petrovitch pareceu possuído pelo demônio.

"Não, é impossível, declarou ele, encomende um novo."

Akaki Akakiévitch colocou em sua mão uma moeda de dez copeques.

"Muito agradecido, senhor, disse Petrovitch, vou tomar um copo em sua homenagem. Quanto ao casaco, creia em mim, não pense mais nisso. Ele está no fim, o coitado! Vou lhe fazer um novo, segundo seu gosto. Confie em mim."

Akaki Akakiévitch quis voltar ao assunto, mas, sem escutá-lo, Petrovitch continuou:

"Sim, sim, conte comigo, será um belo trabalho. E, caso queira ficar na moda, eu colocarei uma gola com colchetes de prata."

A partir de então, convencido de que não poderia passar sem um casaco novo, Akaki Akakiévitch sentiu sua coragem abandoná-lo. Onde encontrar o dinheiro necessário? Estava esperando uma gratificação para as festas, mas ela já estava antecipadamente destinada a outros fins. Precisava comprar uma calça, pagar o sapateiro por um velho remendo, encomendar três camisas e dois pares destas peças íntimas cujos nomes seria inconveniente colocar em letras de fôrma. Em resumo, Akaki Akakiévitch já havia destinado todo este dinheiro e mesmo se o diretor se dignasse a elevar a soma para quarenta e cinco ou, digamos, cinquenta rublos, não restaria quase nada, uma bagatela que, na constituição do capital exigido para o casaco, representariam tanto quanto uma gota d'água no oceano. Evidentemente, Petrovitch via algumas vezes a lua ao meio-dia e pedia então preços exorbitantes. Mesmo sua mulher não podia algumas vezes deixar de gritar: "Isso, agora? Estás louco? Te atacou o demônio da ganância? Há dia em que este imbecil trabalha por nada e eis agora que deseja receber muito mais do que vale!" Akaki Akakiévitch estava certo de que Petrovitch se contentaria com oitenta rublos, mas a questão era saber onde encontrá-los. A rigor, sabia onde encontrar a metade, talvez um pouco mais. Quanto ao resto...

Indiquemos ao leitor de início a origem desta metade. A cada rublo que gastava, Akaki Akakiévitch tinha o costume de guardar meio copeque, depositando-o numa fenda aberta na tampa de um cofrezinho fechado com chave. A cada seis meses, ele fazia a conta das moedas de cobre e as substituía por moedas de prata. Ao final de muitos anos, ele chegou desta forma a acumular mais de quarenta rublos de economias. Assim, a metade da soma estava a sua disposição. Restava a outra metade. Onde encontrar estes quarenta rublos que faltavam? De tanto pensar, Akaki Akakiévitch resolveu reduzir suas despesas ao menos ao longo de um ano. Desde então, ele não tomou mais chá à noite e não acendeu mais a vela, levando seu trabalho, quando havia necessidade, para ser feito no quarto da proprietária. Na rua, passou a andar na ponta dos pés para preservar as solas dos sapatos. Só raramente recorria aos serviços da lavadeira, evitando usar suas roupas brancas, que ele substituía, tão logo entrava em casa, por um velho roupão de fustão, que não fora poupado pelo tempo. Na verdade, tais restrições lhe pareceram de início muito duras, mas acostumou-se a elas aos poucos e terminou, num belo dia, por passar sem a ceia. Como ele sonhava sem parar com seu futuro casaco, este sonho foi para ele um alimento suficiente, embora imaterial. Mais ainda: sua própria existência ganhou em importância. Sentia a seu lado como que a presença de um outro ser, algo como uma companhia amável que houvesse consentido em percorrer com ele os caminhos da vida. E tal companhia não era outra senão a bela peliça nova, acolchoada com um pesado forro. Ele se tornou mais vivo e mais firme de caráter tão logo fixou para si uma meta de vida. A dúvida, a indecisão, todos os traços hesitantes e imprecisos desapareceram de seu rosto e de seus atos. Uma chama ardia algumas vezes em seus olhos, os pensamentos mais audaciosos tomavam conta por vezes de sua cabeça: por que, no final das contas, não encomendava uma gola de marta? Isso terminou por lhe provocar distrações. Um dia, enquanto copiava um documento, quase chegou a cometer um erro, mas a tempo se benzeu e soltou um "ufa!" de alívio. Ao menos uma vez por mês, ia ao encontro de Petrovitch para falar com ele a respeito do casaco. Onde comprariam o pano? Que tonalidade seria mais conveniente? Que preço? Depois de ter discutido estas graves questões, ele voltou para casa um pouquinho preocupado, mas sonhando com alegria que um belo dia o casaco se tornaria realidade. O caso tomou até mesmo um andamento mais rápido que ele esperava. Contra todas as expectativas, o chefe do pessoal lhe concedeu naquele ano sessenta rublos de gratificação ao invés dos quarenta ou quarenta e cinco rublos habituais. Teria o chefe do departamento de pessoal adivinhado que Akaki Akakiévitch precisava encomendar um casaco? Ou será o caso de ver aí apenas um simples acaso? Não sei. O que é certo é que Akaki Akakiévitch pôde dispor de um ganho extra inesperado de vinte rublos. Esta circunstância fez avançar em muito as coisas. Mais dois ou três meses de privações e nosso homem se viu numa bela manhã de posse dos oitenta rublos desejados. Seu coração, ordinariamente tão calmo, começou a bater descompassadamente. Já a partir daquele dia ele fez, em companhia de Petrovitch, um giro para as compras. Comprou-se, como seria natural, um pano de muito boa qualidade, no qual pensavam há cerca de um semestre, e do qual haviam, de mês em mês, se informado dos preços. Petrovitch aliás disse que não se encontraria algo melhor. Para o forro, contentaram-se com um pano de algodão, mas de tão alta qualidade que, sempre segundo Petrovitch, não perdia em nada para a seda e parecia até mesmo mais brilhante. E como a marta custava realmente mais caro, contentaram-se com uma pele de gato, escolhendo a mais bela que havia na loja – de resto, vista de longe, parecia ser pele de marta. A confecção do casaco não ocupou mais do que duas semanas, e isso porque precisou ser acolchoado e costurado – caso contrário, Petrovitch o teria concluído mais cedo. Por isto Petrovitch cobrou mais doze rublos, mas não se podia pedir menos, pois tudo estava costurado em pespontos com fio de seda, sendo que Petrovitch havia arrematado cada costura com dentes de fustão.

Foi em... Eu não saberia dizer, juro, exatamente o dia em que Petrovitch entregou enfim o casaco. Akaki Akakiévitch não conheceu dia mais solene em toda a sua existência. Foi numa manhã, antes da saída para o ministério, e o traje não poderia ter vindo mais a propósito, pois o frio já estava muito forte, ameaçando tornar-se rigoroso. O próprio Petrovitch trouxe o casaco, como deve fazer um bom alfaiate. Akaki Akakiévitch jamais vira alguém com uma cara tão majestosa. Petrovitch parecia perfeitamente convencido que de realizara sua grande obra, estabelecendo de um modo definitivo o abismo que separa um alfaiate de um remendão. Ele retirou o casaco do pano que o embrulhava e que viera diretamente da lavanderia, guardando o pano, cuidadosamente dobrado, no bolso para usá-lo quando houvesse necessidade. Admirou por um momento sua obra-prima com um olhar orgulhoso e, com os braços estendidos, o colocou com muito esmero nas costas de seu cliente.

Depois, tendo-o ajeitado bem na parte traseira, envolveu Akaki Akakiévitch à maneira dos cavalheiros. Levando em consideração a sua idade, Akaki Akakiévitch quis vestir as mangas. Petrovitch ajudou-o na operação e esta prova resultou num sucesso. Em resumo, o casaco assentara com perfeição e não tinha necessidade de qualquer retoque. Petrovitch aproveitou para declarar que, se havia pedido um preço tão baixo, fora em respeito a um velho cliente e também porque trabalhava numa rua distante. Um alfaiate da Perspectiva teria certamente exigido setenta e cinco rublos tão somente pelo trabalho. Akaki Akakiévitch não deu maior importância à observação, tanto medo lhe causavam as somas astronômicas com as quais Petrovitch costumava aturdir seus clientes. Pagou, agradeceu e partiu sem mais tardar para o ministério, vestido com seu novo casaco. Petrovitch desceu as escadas em seguida e, uma vez lá fora, parou para contemplar de longe sua obra-prima, depois, tomando uma ruela, saiu numa outra rua, alguns passos à frente de Akaki Akakiévitch, com o objetivo de admirar ainda uma vez – de frente, agora – o famoso casaco.

Enquanto isso, Akaki Akakiévitch caminhava tomado pelo mais intenso júbilo. A sensação continuada do casaco novo sobre seus ombros o mergulhava num devaneio que, por diversas vezes, arrancou dele pequenos sorrisos. E como não exultar diante do pensamento de que o casaco oferecia a dupla vantagem de cair bem e de mantê-lo aquecido! Ele chegou ao ministério antes que houvesse se dado conta do caminho percorrido. Retirou seu casaco no vestiário, examinou-o sob todos os ângulos e o entregou ao porteiro. Não sei de que modo se espalhou na repartição o alarido segundo o qual Akaki Akakiévitch tinha um novo casaco e que o "capote" havia findado sua existência. Todos acorreram em seguida ao vestiário para verificarem com os próprios olhos. Os cumprimentos começaram a chover sobre Akaki Akakiévitch, que os acolhia de início com sorrisos e, depois, com uma certa confusão. Quando, pressionando-o, seus colegas insistiram para que ele festejasse a estreia e desse ao menos uma festa em sua honra, Akaki Akakiévitch já não sabia a que santo se agarrar. Depois de muito ter procurado em vão uma desculpa plausível, ele tentou de um modo muito ingênuo persuadi-los de que o casaco não era novo; vermelho de vergonha, tentou argumentar que se tratava ainda do mesmo e velho capote. Finalmente, um dos funcionários, um subchefe de escritório, se estou bem lembrado, desejoso sem dúvida de mostrar que ele não se sentia superior e não temia misturar-se com seus subordinados, tirou-o do embaraço ao declarar:

"Pois bem, sou eu quem dará a festa no lugar de Akaki Akakiévitch. Convido a todos para que venham esta noite tomar chá em minha casa, pois hoje a festa também é minha."

Não é necessário dizer que os senhores funcionários cumprimentaram sem tardar o subchefe e aceitaram seu convite com toda a solicitude. Akaki Akakiévitch quis de início recusar, mas na medida em que todos fizeram com que se sentisse envergonhado por sua indelicadeza, ele foi levado a ceder aos apelos. Por outro lado, refletindo a respeito, viu, não sem prazer, que aquilo lhe permitiria desfilar mais uma vez em seu belo casaco novo e, desta vez, sob as luzes. Para o pobre diabo, esta jornada foi na verdade uma festa solene. Voltou para casa todo radiante, tirou a roupa e dependurou cuidadosamente seu casaco na parede, sem esquecer de admirar ainda uma vez o tecido e o forro. Depois apanhou o velho capote esgarçado para compará-lo ao casaco. Olhando-o, não conseguiu evitar um sorriso: a diferença era na verdade muito grande! E, durante sua refeição, um sorriso sarcástico marcou seus lábios cada vez que pensou no estado lamentável de seu velho sobretudo. Após esta refeição tão alegre, ele negligenciou pela primeira vez seus trabalhos de cópia para se esticar em sua cama e fazer-se um pouco de sibarita até cair a noite. Então, sem mais demora, vestiu-se, jogou seu casaco sobre os ombros e saiu.

Lamentamos não poder dizer com precisão onde residia o funcionário que o havia convidado. A memória começa a nos trair. As ruas e os edifícios de Petersburgo confundem-se de tal forma em nossa cabeça que já não conseguimos mais nos orientar neste vasto labirinto. Em todos os casos, é certo que o dito funcionário residia num dos mais belos bairros e, consequentemente, muito distante de Akaki Akakiévitch. Este precisou seguir de início algumas ruas sombrias e quase desertas e iluminadas muito parcimoniosamente. Mas, à medida que se aproximava de seu destino, a movimentação se tornava mais viva e a iluminação mais brilhante. Entre os transeuntes, cujo número aumentava sem cessar, surgiram senhoras elegantemente vestidas e senhores com golas de castor. Os pequenos trenós de madeira entrelaçada, cobertos com pregos dourados, logo deram lugar a soberbas carruagens: grandes trenós envernizados, protegidos por peles de urso e conduzidos por cocheiros usando bonés de veludo framboesa. Ricos landaus com poltronas ornamentadas que faziam ranger a neve sob suas rodas. Akaki Akakiévitch analisava todas estas coisas como se as visse pela primeira vez, pois desde há muitos anos ele não saía à noite. Um quadro exposto numa vitrine iluminada reteve longamente sua atenção. Uma bela mulher retirava seu sapato, deixando à vista uma perna torneada com perfeição, enquanto que, através da porta entreaberta às suas costas, um senhor usando cavanhaque e costeletas lhe lançava olhares indiscretos. Akaki Akakiévitch balançou a cabeça, sorriu e retomou seu caminho. O que significaria este sorriso? Teria tido ele a revelação de alguma coisa que ignorasse, mas cujo vago instinto dormita no entanto em cada um de nós? Estaria ele dizendo, como tantos de seus colegas: "Ah, estes franceses, não há o que dizer, quando eles se metem nisso... então, não é... é verdadeiramente... de fato..." Pode ser também que nosso herói não tenha pensado em nada de parecido: não saberíamos auscultar a alma humana até o seu âmago e adivinhar tudo que nela se passa.

Ele chegou por fim à moradia do subchefe da repartição, o qual, era certo, deveria viver muito bem, pois seu apartamento ocupava o segundo andar e havia uma lanterna na escadaria. Quando colocou os pés na antecâmara, Akaki Akakiévitch percebeu sobre o piso de madeira filas de galochas no meio das quais um samovar zumbia em meio a turbilhões de vapor. De todas as paredes pendiam peles e sobretudos, alguns dos quais tinham golas de castor e outras forro de veludo. Um surdo alarido que vinha da peça vizinha ampliou-se subitamente: uma porta se abriu, dando passagem a uma criada carregando uma bandeja entulhada com copos vazios, um pote com requeijão, uma cesta de biscoitos, signo evidente de que os senhores funcionários já se encontravam lá há algum tempo e que já haviam consumido seu primeiro copo de chá. Akaki Akakiévitch dependurou seu casaco ao lado dos outros e animou-se a entrar na sala. Então, de um só golpe, os convidados, as velas, os cachimbos, as mesas de jogo cintilaram diante de seus olhos ofuscados, enquanto o barulho de cadeiras arrastadas e o caos das conversações desencontradas atingiam bruscamente seus ouvidos. Não sabendo mais o que fazer, ele paralisou-se numa pose das mais desengonçadas. Mas logo foi percebido, foi aplaudido, e todos se precipitaram à antecâmara para admirar mais uma vez o famoso sobretudo. Em sua inocência ingênua, Akaki Akakiévitch, ainda que inteiramente confuso, sentiu-se lisonjeado por este concerto de elogios. Em seguida, é claro, não demorou para que fosse deixado de lado, ele e seu sobretudo, em troca dos encantos do uíste. A balbúrdia, o falatório, a multidão, todas estas coisas desconhecidas mergulharam o pobre homem numa espécie de idiotia. Ele não sabia o que fazer de suas mãos, de seus pés, de seu corpo. Acabou sentando-se perto dos jogadores, cujos lances procurou acompanhar. Ele os encarou a cada um deles alternadamente, mas se sentiu rapidamente tomado pelo tédio e começou a bocejar, pois há muito havia soado a hora em que costumava deitar-se. Então ele quis despedir-se do dono da residência, mas ninguém permitiu que o fizesse. Todos o retiveram, todos insistiram em lhe fazer um brinde como homenagem à estreia com pelo menos uma taça de champanhe. Ao término de uma hora, foi servida a ceia que compreendia uma salada, vitela fria, uma torta e fatias de bolo acompanhadas de champanhe. Akaki Akakiévitch foi levado a esvaziar duas taças que o animaram um pouco sem no entanto fazer com que esquecesse que já era meia-noite e havia muito, hora de voltar para casa. Com medo de que seu anfitrião tornasse a protestar, preferiu sair à francesa, apanhou seu sobretudo, que lamentavelmente caiu no chão, sacudiu-o, retirando dele o pó com muito cuidado, e desceu as escadas.

As lanternas ainda iluminavam as ruas. Algumas lojas, os assim chamados clubes permanentes de porteiros e gente do mesmo gabarito, ainda estavam abertos. Outros, ainda que fechados, deixavam escapar através das frestas um longo raio de luz, indício perfeito de que eles não estavam vazios, e provavelmente o pessoal de serviço ali prosseguiam suas intermináveis fofocas, enquanto que seus chefes perplexos e entediados se perguntavam onde estes dignos servidores haviam desaparecido. Akaki Akakiévitch caminhava com um passo cambaleante. Subitamente se lançou, Deus sabe a razão, atrás das pegadas de uma dama que deslizou a sua frente como um meteoro e cujo corpo todo parecia estar em movimento. Mas ele refreou rapidamente esta petulância e se perguntou o que será que teria feito com que perdesse as estribeiras. E logo estenderam-se a sua frente estas ruas solitárias, margeadas por cercas e por casas de madeira, já muito feias à luz do dia, e às quais a tarde torna ainda mais lúgubres, ainda mais desoladas. A luminosidade de um candeeiro surgia apenas raramente – certamente estavam economizando óleo. Somente a neve cintilava sobre a calçada onde não havia alma viva e ao longo da qual os casebres cochilando por detrás de suas venezianas fechadas resultavam em sinistras manchas negras. Por fim surgiu um vasto espaço vazio, menos semelhante a uma praça do que a um horrível deserto. Os edifícios que contornavam seus limites mal eram divisados e, perdida nesta imensidão, a lanterna de uma guarita parecia estar ardendo distante, quase no fim do mundo. Chegando a este lugar, Akaki Akakiévitch sentiu sua segurança abandoná-lo.

Teve o pressentimento de algo de ruim no ar e entrou na praça com uma circunspecção próxima do pânico. Lançou um olhar para trás, outro à direita, mais um à esquerda, e acreditou-se perdido num mar tenebroso. "Não, definitivamente, disse a si mesmo, é melhor nem olhar." Avançou então com os olhos fechados e, quando os reabriu, para verificar se a travessia perigosa já havia terminado, se viu quase com o rosto colado com dois ou três indivíduos bigodudos. Quem seriam exatamente estes sujeitos? Não teve possibilidade de percebê-lo, pois sua vista se turvou e seu coração começou a bater em golpes desencontrados.

"Arrá! mas este capote é meu!", exclamou com uma voz trovejante um dos personagens, que o agarrou pela gola. Quando Akaki Akakiévitch já estava abrindo a boca para gritar por socorro, o outro assaltante lhe brandiu diante do nariz um punho do tamanho de uma cabeça de funcionário e rosnou:

"Te controla! E fica calado!"

Akaki Akakiévitch, mais morto do que vivo, sentiu apenas que estavam retirando seu capote. Um golpe com o joelho em seus rins fez com que rolasse sobre a neve, quando acabou por perder a consciência. Quando por fim se recuperou, levantou-se e percebeu que não havia ninguém por perto. Uma vívida sensação de frio lembrou-lhe o sumiço do capote. Começou a gritar, mas com uma voz que se recusava a alcançar os limites daquela área deserta. Alucinado, desnorteado, vociferando, começou a correr, dirigindo-se diretamente à guarita junto à qual um guarda, apoiado em sua alabarda, abria, creio eu, dois grandes olhos curiosos. Que diabos estaria pretendendo aquele energúmeno que corria em sua direção berrando com todos os pulmões?

"Mas, disse ele, pensei que fossem seus amigos. Ao invés de me agredir, o senhor faria melhor caso fosse amanhã falar com o Comissário: ele irá encontrar seu sobretudo num piscar de olhos."

Akaki Akakiévitch disparou num tiro só em direção a sua casa, onde chegou num estado lastimável: os cabelos – quer dizer, os poucos tufos que ainda protegiam suas têmporas e sua nuca –, desgrenhados, o peito, as ancas, as pernas inteiramente cobertas de neve. Com os golpes terríveis que ele desferiu contra a porta, sua locatária, acordada em sobressalto, saltou de seu leito e se precipitou – se, em sua pressa, havia calçado apenas um dos chinelos, não deixou porém de puxar com uma mão pudica a camisola sobre os seios. O estado de seu locador fez com que recuasse de pavor; quando ela tomou conhecimento da tenebrosa aventura, ergueu os braços para os céus e se apressou em lhe dar seus melhores conselhos.

"Sobretudo, disse ela, evite prestar queixa ao comissário do bairro, o senhor teria apenas decepções. Para este espertalhão, veja bem, prometer e fazer são duas coisas diferentes. Vá, pois, diretamente ao comissário do quarteirão. Ana, a finlandesa, minha antiga empregada doméstica, está agora empregada na casa dele como babá das crianças. Eu o conheço de vista, aliás: ele passa frequentemente em frente a minha janela e não perde uma só missa de domingo. Rezando ao bom Deus, tem do mundo uma visão tão gentil que isso deve fazer dele a nata da espécie humana.

Advertido desta forma, Akaki Akakiévitch dirigiu-se tristemente a seu quarto. Como terá passado o resto da noite? Deixemos este julgamento aos cuidados daquelas pessoas que sabem mais ou menos colocar-se na pele dos outros.

No dia seguinte, assim que nasceu o dia, Akaki Akakiévitch foi ao comissariado. Mas o comissário ainda dormia. Voltou na hora do almoço. Foi parado no corredor por funcionários que queriam saber a todo custo o que o levava a procurar o comissário, o que desejava, o que havia acontecido com ele. Akaki Akakiévitch, no limite da paciência, pelo menos uma vez na vida mostrou firmeza: ele lhes disse com todas as letras que desejava ver o comissário em pessoa, pois vinha do ministério para tratar de um assunto urgente. Caso pretendessem barrá-lo, ele iria se queixar deles e então eles veriam o que isso iria custar... Os rabiscadores não ousaram replicar coisa alguma diante de tais argumentos e um deles foi avisar ao comissário.

O comissário recebeu o relato do roubo de um modo muito estranho: ao invés de prestar atenção ao núcleo da questão, se pôs a questionar Akaki Akakiévitch: por que voltara para casa tão tarde? de onde viera? de algum lugar suspeito, por acaso? Tanto que o pobre homem se retirou completamente confuso perguntando-se se seria mesmo o caso de levar adiante a sua queixa.

Naquele dia, na única e exclusiva vez em sua existência, Akaki Akakiévitch não foi à repartição. Foi até lá no dia seguinte, lívido como um cadáver e vestido com o seu velho capote, que parecia num estado mais lastimável do que nunca. A história do roubo emudeceu quase todos os seus colegas, ainda que alguns descobrissem no episódio novas possibilidades para zombarias. Uma coleta organizada em seguida não produziu grandes coisas: estes senhores haviam feito recentemente uma subscrição em prol do retrato de seu diretor, bem como para a compra de uma certa obra patrocinada por seu chefe de divisão. Um deles, entretanto, movido por um sentimento de piedade, quis ao menos dar um bom conselho a Akaki Akakiévitch. Fez com que desistisse de recorrer ao comissário de seu bairro. Mesmo admitindo, o que era perfeitamente possível, que, para ficar com uma boa imagem junto a seus chefes, o digno homem encontrasse o corpo do delito, Akaki Akakiévitch não tomaria só por isso posse de seu bem. Como ele poderia fornecer a prova de que esta vestimenta era verdadeiramente dele? Melhor seria dirigir-se a um certo "personagem influente", o qual, depois de manter contato por escrito e oralmente com quem de direito, imprimiria sem dúvida ao caso uma reviravolta favorável. Em desespero de causa, Akaki Akakiévitch resolveu procurar este personagem do qual, falando francamente, ninguém sabia precisar exatamente as funções. É preciso explicar que o dito personagem se tornara famoso apenas recentemente. De resto, comparado com outros mais consideráveis, o lugar que ele ocupava não era tido como muito importante. Mas a verdade é que se encontra sempre pessoas a emprestar importância a coisas que não têm nenhuma. Ele mesmo, aliás, tomava o cuidado de destacar sua importância através dos meios os mais diversos. Quando chegava a seu escritório, os funcionários de escalão inferior deviam recebê-lo em comissão. Ninguém podia se dirigir a ele a não ser pelas vias hierárquicas: o registrador do colegiado faria seu relatório ao conselheiro da província, o conselheiro da província se dirigiria ao conselheiro titular ou a outro funcionário que fosse de direito.

O espírito de imitação infestou profundamente nossa santa Rússia, todos a querer fazer de conta que são chefes e atingir o patamar mais alto possível. Certos conselheiros titulares, convocados a dirigir uma repartição sem maior importância, se apressam, dizem, em inventar com a ajuda de uma divisória uma espécie de sala que pomposamente denominam: "gabinete do diretor". Porteiros com galões espalhados por toda parte e golas vermelhas abriam a todos que chegavam as portas deste lugar onde mal repousava uma modesta escrivaninha. Nosso personagem importante afetando um ar nobre e maneiras altivas. Seu sistema, dos mais simples, apoiava-se apenas na severidade. "A severidade, ainda severidade, sempre a severidade!", repetia ele sem parar, fulminando seu interlocutor com um olhar significativo ainda que supérfluo, os dez ou doze funcionários que tinha sob suas ordens estando saturados de respeito e de um temor salutar: assim que o viam chegar, abandonavam suas ocupações e aguardavam perfilados em posição de sentido que ele se dignasse a atravessar a sala. Como dirigisse a palavra a seres inferiores a ele, seria num tom áspero e para colocar o mais das vezes uma das três questões seguintes: "De onde tirou esta arrogância? Sabe com quem está falando? Sabe diante de quem se encontra?"

Era, pois, um homem correto, muito solícito e, anteriormente, de uma convivência agradável com seus amigos. Ocorre que o título de Excelência havia dado uma reviravolta completa em sua cabeça. Desde que obtivera este título, seu espírito desviou-se e ele perdeu todo controle de si mesmo. Com aqueles que tinham o mesmo nível que ele, ainda se conduzia como um homem de boa educação, nem um pouco tolo sob muitos aspectos, mas se acaso se misturasse a seus companheiros alguma pessoa inferior ao lugar que ele ocupava na hierarquia, nem que fosse um só grau, ele se tornava de imediato insuportável, esquecendo toda a boa educação e não dizendo nem mais uma palavra. Isso não o impedia de perceber que ele poderia passar o tempo de uma maneira muito mais agradável. Dava então pena de ver: lia-se em seus olhos o vivo desejo de tomar parte de tal conversação, de se misturar a tal grupo, ao mesmo tempo que sentindo que ele estava travado pelo temor de comprometer sua dignidade, de causar algum dano a seu prestígio. À força de isolar-se num silêncio hostil entrecortado por vagos monossílabos, ele passava pelo mais perfeito dos patetas do mundo.

Akaki Akakiévitch procurou por este personagem num momento muito inadequado – ao menos para ele, pois o tal grande personagem não poderia sonhar com situação mais propícia à ostentação de sua importância. Fechado em seu gabinete de diretor, ele conversava em excelente estado de humor com um amigo e camarada de infância com o qual havia perdido o contato havia muitos anos. Avisado de que um certo Bachmatchkin pedia para falar com ele, perguntou num tom brusco:

"De quem se trata?

– Um funcionário, responderam.

– Pois bem, que espere! Estou ocupado."

Tratava-se, é preciso confessá-lo, de uma cínica mentira: nosso importante personagem não estava nem um pouco ocupado. A conversação havia algum tempo perdera o ímpeto, mourejava, cortada por longos intervalos nos quais os dois amigos davam tapinhas mútuos nas suas coxas, repetindo: "É isso aí, Ivan Abramovitch! – Certamente, Stepan Varlamovitch!" Ao ordenar que Bachmatchkin esperasse, nosso homem esperava apenas mostrar a seu amigo, afastado do serviço e morando no campo, o poder que detinha sobre os funcionários obrigados a esperar por suas boas graças na sala de espera. Quando, com um cigarro nos lábios e estirado nas confortáveis poltronas reclináveis, estes senhores tagarelavam ou permaneciam calados, o poderoso personagem pareceu lembrar-se subitamente de alguma coisa e disse a seu secretário que estava parado junto à porta com algumas pastas sob o braço:

"Falar nisso, creio que há um funcionário me esperando. Mande que entre."

Diante do aspecto do lamentável Akaki Akakiévitch e de seu não menos lamentável uniforme, nosso importante personagem virou-se bruscamente para ele:

"O que deseja?", perguntou com aquela voz áspera e cortante que aprendera a usar fazendo exercícios diante do espelho, na solidão de seu quarto, uma semana antes da promoção que havia feito dele uma Excelência. Já tomado pelo temor, Akaki Akakiévitch entabulou, da melhor forma que lhe permitia sua língua hesitante, um discurso pontilhado, mais do que era habitual, de "não é". Ele tinha um capote novo estalando de novo; ele foi roubado sem piedade; ele suplicava a Sua Excelência de intervir da forma que lhe parecesse melhor, escrevendo a quem de direito, ao chefe de polícia ou a outro personagem qualquer para acelerar as buscas..."

O personagem importante achou, Deus sabe a razão, esta solicitação direta de uma familiaridade excessiva.

"Ah, meu senhor, exclamou ele no tom mais cortante, onde acredita estar? Desconhece a tal ponto os procedimentos adequados? O senhor deveria antes de mais anda apresentar sua demanda ao funcionário de serviço. Este deveria transmiti-lo na boa e devida forma ao chefe da repartição, o chefe da repartição ao chefe da divisão, o chefe da divisão a meu secretário, o qual afinal a submeteria à minha apreciação."

Akaki Akakiévitch sentiu o suor inundar seu corpo. Reuniu então o resto de coragem que lhe sobrava para balbuciar:

"Que Vossa Excelência se digne me desculpar... Se a mim for permitido lhe perturbar..., é que os secretários, não é..., não se pode confiar neles...

– Como?! Como?! exclamou o personagem importante. O que ousa insinuar com isso? Donde vêm estas ideias subversivas? De onde os jovens de hoje se permitem este espírito de insubordinação, esta falta de respeito diante de seus chefes e das autoridades constituídas?"

Sem dúvida, o personagem importante não havia notado que, tendo passado dos cinquenta, Akaki Akakiévitch não poderia ser alinhado entre os jovens a não ser de um modo relativo, por comparação com os velhos de setenta anos ou mais.

"Sabe com quem o senhor está falando? Compreende diante de quem está? Compreende? Vamos lá, eu estou perguntando!"

Ele lançou esta última frase batendo o pé e com uma voz elevada a um diapasão que faria com que sujeitos muito mais autoconfiantes do que Akaki Akakiévitch também perdessem a compostura. Akaki Akakiévitch sentiu-se prestes a desfalecer: seu corpo inteiro tremia, suas pernas vacilavam, bamboleavam, e se os porteiros que acorreram não o houvessem segurado pelos braços, ele teria infalivelmente caído no chão. Foi carregado quase inconsciente. Encantado pelo fato de que o efeito do que fizera havia ultrapassado todas as previsões, exultante com o fato de que sua palavra pudesse privar um homem de consciência, o personagem considerável observou com um canto de olho a impressão que esta cena havia produzido em seu amigo e ficou todo feliz ao constatar que o tal amigo parecia vagamente constrangido.

Akaki Akakiévitch desceu as escadarias e se viu na rua sem saber como. Não sentia mais nem os braços nem as pernas. Jamais houvera sido tratado tão grosseiramente por uma Excelência e, o que é mais grave, por uma Excelência da qual ele não dependia. Caminhava de modo cambaleante e com o queixo caído, vergastado a todo instante pela neve que turbilhonava raivosamente, pelo vento que soprava em sua direção de todos os lados ao mesmo tempo, como parece ser regra em Petersburgo. Pegou num piscar de olhos uma bela e boa infecção da garganta e quando enfim chegou em casa foi deitar-se sem que sua garganta inflamada lhe permitisse emitir um som sequer. Tais são muitas vezes as consequências de uma séria descompostura! Graças à generosa colaboração do clima de Petersburgo, a doença evoluiu muito mais rapidamente do que se poderia esperar. Desta forma, quando o médico chegou e tomou o pulso de Akaki Akakiévitch, não pôde fazer mais do que prescrever um cataplasma e isso unicamente para não privar o doente do socorro eficaz da medicina. Ele declarou aliás e com toda a franqueza que o dito doente não tinha mais do que dois dias de vida, depois ele se virou para a proprietária e acrescentou:

"Então, minha boa senhora, não perca seu tempo inutilmente. Vá imediatamente comprar um caixão de pinho, pois um de carvalho seria demasiado caro para ele".

Akaki Akakiévitch escutara estas palavras fatais? E se as escutou, foi por elas dolorosamente afetado? Teria ele se arrependido de sua lamentável existência? Ignoramos para sempre, pois ele delirou sem parar até a sua última hora. Visões, umas mais estranhas do que as outras, assaltavam-no sem descanso. Ora via Petrovitch e lhe encomendava um sobretudo munido de armadilhas para ladrões que cercassem seu leito, embora seja verdade que ele não parou de chamar sua proprietária para que ela retirasse um deles que se enfiara debaixo de suas cobertas. Ora se perguntava por que seu velho capote estava dependurado lá na parede se ele possuía um belo sobretudo inteiramente novo. Ora acreditava ainda estar aguentando a descompostura do grande personagem e lhe respondia humildemente: "Minhas desculpas, Excelência!" Ora blasfemava de um modo tão furioso que sua locadora se benzia – como aquele homem que jamais elevara a sua voz podia proferir injúrias tão horríveis e, mais grave ainda, uni-las ao nobre nome de Sua Excelência? Perto do fim, Akaki Akakiévitch pôs-se a balbuciar palavras incoerentes, mas que não eram menos indicativas de que todos os seus pensamentos continuavam a girar confusamente em torno do capote.

Quando o pobre Akaki Akakiévitch exalou o último suspiro, não se colocou lacre nem em seu quarto nem em seus pertences: ele não tinha nenhum herdeiro e não deixava nada além de um pacote com penas de gansa, uma resma de papel timbrado do ministério, três pares de meias, dois ou três botões e o famoso capote. Quem tomou posse de tudo isso? Devo confessar que o autor deste relato não se preocupou com este detalhe.

O morto foi levado, colocado na sepultura e Petersbourg ficou sem Akaki Akakiévitch. Desapareceu para sempre, este ser sem defesas por quem ninguém jamais demonstrou afeição ou dedicou a menor atenção, não, ninguém, nem mesmo um destes naturalistas sempre prontos a espetar a mais banal das moscas para examiná-la ao microscópio. Se esta criatura resignada a sofrer com as zombarias de seus colegas, incapaz de empreender qualquer ação notável, tivesse visto subitamente sua triste existência iluminada – um breve instante, próximo ao fim – pela visão radiosa de um capote novo, seria para que a infelicidade se abatesse sobre ele como se abate sobre os poderosos deste mundo!...[4]

Alguns dias depois de seu desaparecimento, um mensageiro do ministério veio intimá-lo a retomar seu posto. O mensageiro não conseguiu, está claro, cumprir sua missão e foi obrigado a comunicar a quem de direito que Akaki Akakiévitch não voltaria mais.

"E por quê?, perguntaram.
– Porque ele morreu, disse. Lá se vão quatro dias que o colocaram na terra."

Foi assim que se soube do falecimento de Akaki Akakiévitch. Que foi substituído no dia seguinte: o novo expedicionário tinha um traço muito mais refinado e uma escrita mais elegante.

Entretanto, Akaki Akakiévitch não havia ainda tido a última palavra... Quem poderia ter acreditado que levaria no além-túmulo uma existência movimentada, capaz de conhecer aventuras ruidosas, sem dúvida para compensar o pouco brilho de sua vida terrestre? No entanto, assim foi e nossa modesta narrativa deverá concluir com uma nota ao mesmo tempo fantástica e inesperada. O rumor espalhou-se súbito por Petersburgo segundo o qual o espectro de um funcionário aparecia de noite nas redondezas da ponte Kalinkine. Sob pretexto de recuperar um capote roubado, o espectro tomava dos

---

4. Do manuscrito constava: ...*sobre os tzares e aqueles que dirigem o mundo*. Ignoramos se foi a censura que interferiu.

transeuntes de qualquer condição seus capotes, quaisquer que fossem, de algodão, forrados, com golas de pele de gato, golas de pele de castor, peliças de camundongo, peliças de urso ou de raposa, em resumo, todas as peles das quais os homens fazem uso para cobrir sua própria pele. Um dos antigos colegas do finado Bachmatchkin chegou a ver o espectro com seus próprios olhos e nele reconheceu de imediato Akaki Akakiévitch – no entanto, não teve a chance de vê-lo de perto, pois o medo o fez disparar em desabalada carreira ao pressentir que o fantasma o ameaçava à distância.

As queixas vinham de todas as partes. Seria aceitável caso os roubos dos capotes ameaçassem apenas as costas e os ombros dos conselheiros titulares, mas acontece que ameaçavam até mesmo expor a um resfriado os conselheiros áulicos. A polícia recebeu uma ordem de agarrar o fantasma, morto ou vivo, e aplicar nele um severo corretivo que pudesse servir de exemplo aos demais. E quase o conseguiu. Na rua Kiriuchkin, com efeito, um guarda civil chegou a colocar a mão na gola do morto, justo no momento em que este arrancava o capote de um músico aposentado, o qual em sua época fora um belo talento na flauta. O guarda chegou a pedir a ajuda de dois de seus colegas. Rogou que segurassem solidamente o fantasma, enquanto procurava pela caixa de rapé no fundo de sua bota a fim de reanimar seu nariz, que já havia congelado seis vezes no curso de sua existência. Mas o tabaco era tão forte que o próprio espectro não conseguiu resistir. Mal o guardião da ordem fechou com um dedo sua narina direita para aspirar uma meia pitada com a esquerda, o morto deu um espirro prodigioso, cujos estilhaços cegaram os três meganhas. E enquanto eles levavam as mãos ao rosto para esfregar seus olhos, o fantasma escafedeu-se de um modo tão sutil que eles ficaram se perguntando se o haviam de fato aprisionado em suas mãos. Depois desta ocorrência, os guardas adquiriram um tal pavor dos mortos que passaram a evitar prender até mesmo os vivos. Limitavam-se a gritar aos suspeitos: "Ei, indivíduo, vamos circulando!" Quanto ao funcionário-fantasma, ele teve a ousadia de apresentar-se além da ponte Kalinkin, o que não deixou de semear o terror entre os espíritos pusilânimes.

Mas nós abandonamos inteiramente o famoso "personagem importante" graças a quem, ao final das contas, esta história verdadeira deveria tomar um rumo fantástico. A imparcialidade obriga-nos a reconhecer que, pouco depois da partida do infeliz, o personagem importante sentiu um certo remorso de tê-lo tratado tão rudemente. A compaixão não lhe era estranha, e certos bons sentimentos, que sua dignidade com frequência o impedia de deixar transparecer, encontraram portanto um refúgio no fundo de seu coração. A partir do momento em que seu amigo o deixou, ele ficou a pensar no pálido funcionário que acabara de ser fulminado pelos raios de sua cólera ditatorial. Desde então esta imagem o perseguiu de tal modo e de forma tão intensa que ao cabo de oito dias, não suportando mais, ele enviou um funcionário a se informar a respeito do sujeito: como estava e no que poderiam lhe ser úteis?

Quando ele soube que Akaki Akakiévitch havia sucumbido a um brusco acesso de febre, esta notícia desconcertante despertou nele remorsos e o deixou de mau humor ao longo do resto do dia. Sentindo necessidade de se distrair, de sacudir aquela impressão insuportável, ele se dirigiu à casa de um de seus amigos, que estava dando uma festa. Lá encontrou companhia muito agradável, quase que inteiramente composta por pessoas que tinham o mesmo nível que ele. Nada portanto poderia aborrecê-lo e esta circunstância teve um forte efeito de felicidade em seu estado de espírito. Ele se distraiu, foi brilhante, em resumo, passou uma bela noitada. Na ceia, bebeu uma ou duas taças de champanhe, bebida, como todos sabemos, muito propícia a dissipar os humores negros. O champanhe inspirou-lhe o desejo de alguma coisa a mais. Ao invés de voltar de imediato para casa, resolveu fazer uma visita a uma certa Caroline Ivanovna, senhora de origem alemã, acho, pela qual ele cultivava sentimentos inteiramente amigáveis. É preciso dizer que o personagem importante, bom marido e não menos bom pai de família, tinha já uma idade respeitável. Dois filhos, um dos quais já trabalhava, e uma encantadora filha de dezesseis anos com um nariz arrebitado, mas encantadora assim mesmo, os quais todas as manhãs vinham lhe beijar as mãos, dizendo: "Bom dia, papai". Sua mulher, ainda bela e nada desprezível, também beijava sua mão – depois, porém, de ter ele beijado a dela. Se bem que estes prazeres familiares lhe dessem plena satisfação, o personagem importante julgou no entanto conveniente estabelecer num outro bairro da cidade relações fortemente cordiais com uma amiga amável, a qual, aliás, não era nem mais jovem nem mais bela do que sua mulher. Eis aí um destes enigmas frequentes neste vale de lágrimas e que não nos cabe explicar.

O personagem importante desceu então as escadas, tomou lugar em seu trenó e disse ao cocheiro:

"Para a casa de Caroline Ivanovna!"

Bem agasalhado em sua confortável peliça, ele se abandonou a este delicioso estado de alma, o mais desejável para um russo, no curso do qual pensamentos infinitamente agradáveis vêm por si mesmos nos visitar sem que tenhamos necessidade de persegui-los. Ele repassava em sua mente todos os acontecimentos da noitada de festas, todas as brincadeiras que tanto haviam divertido o pequeno círculo de amigos. Repetia até mesmo, em voz baixa, algumas tiradas, nelas encontrando ainda mais sabor e concluindo que ele estava plenamente certo ao optar por um prazer extremo. De tempos em tempos, no entanto, fustigantes rajadas interrompiam esta doce quietude. Vinda Deus sabe de onde e com quais desígnios, elas jogavam contra seu rosto blocos de neve, estufando o capuz de seu capote como se fosse a vela de um barco ou jogando-o raivosamente contra seu próprio rosto, o que o obrigava a contínuos esforços para se defender.

Súbito, o personagem importante sentiu que uma mão vigorosa o agarrava pela gola. Ele virou a cabeça e viu um homem de pequena estatura, vestido com um velho uniforme puído, em quem ele reconheceu sem esforço algum Akaki Akakiévitch. Seu rosto branco como a neve tinha uma expressão cadavérica. O medo do personagem importante ultrapassou todos os limites quando o morto entreabriu a boca num esgar e, exalando em seu rosto um odor sepulcral, pronunciou estas palavras:

"Ah! Ah! Aí está você! Finalmente posso te agarrar pela gola! É de teu casaco que eu preciso! Tu não quiseste, não é?, mandar que procurassem o meu, chegaste mesmo a me passar uma esculhambação! Pois bem, agora, não é?, me dê o teu."

O personagem infeliz só faltou cair morto. Habitualmente, ele se comportava com muita firmeza... diante de seus subordinados e, em geral, de todos que lhe eram inferiores. Seu aspecto marcial fazia com que todos dissessem: "Oh, oh, que caráter!" Mas naquela noite, da mesma forma que ocorre em sujeitos valentões, ele cedeu a um terror tão furioso que, não sem motivo, encontrou aí o início de uma doença grave. Ele próprio jogou seu casaco para longe e gritou ao cocheiro com uma voz desfalecida:

"Para minha casa! Galopando!"

Diante destas palavras, pronunciadas num tom que empregamos em momentos decisivos, o cocheiro pensou ser razoável, para maior segurança, enfiar a cabeça entre seus próprios ombros e, com violentos golpes de chicote, lançou o cavalo numa disparada alucinada.

Cerca de seis minutos depois, o importante personagem estava em sua casa, e não na casa de Caroline Ivanovna. Sem o casaco, lívido, perturbado, arrastou-se até sua cama, na qual passou uma noite muito agitada, tanto que no dia seguinte, durante o café da manhã, sua filha lhe disse com sua voz ingênua:

"Como estás pálido hoje, papai!"

Mas o papai não respondeu nada. Não diria a ninguém onde havia ido nem onde tivera intenção de ir, muito menos o que lhe havia acontecido no caminho.

Este acontecimento lhe provocou uma impressão tão forte que ele abriu mão a partir de então das famosas expressões: "De onde tirou esta arrogância? Compreende diante de quem estás?" Ao menos não as proferia mais antes de saber muito bem do que se tratava.

Coisa ainda mais notável, a partir desta noite as aparições do funcionário-fantasma deixaram de ocorrer. A peliça de Sua Excelência havia sem dúvida cumprido seu destino. Em todos os casos, não mais se ouviu falar de casacos roubados. Entretanto, os espíritos desconfiados não se tranquilizaram inteiramente. Pretenderam mesmo que o fantasma ainda aparecia em certos bairros distantes. De fato, em Kolomna, um guarda viu com seus próprios olhos sua aparição numa esquina. Por infelicidade, este homem era de constituição frágil; uma vez até um porquinho que escapara de um cercado, o havia derrubado, para grande hilaridade de alguns cocheiros de fiacre, os quais ele puniu em seguida pela insolência, extorquindo deles uns tostões para comprar tabaco. Em função, portanto, de sua constituição frágil, o guarda não ousou deter o fantasma – ele se contentou em segui-lo através da escuridão. Não demorou e o espectro parou, dando uma brusca meia-volta.

"Que queres?", perguntou ele, erguendo um punho para o qual dificilmente encontraríamos equivalente entre os vivos.

O fantasma desta vez era de estatura bastante mais alta e usava bigodes enormes. Parecia estar se dirigindo à ponte Oboukhov e, súbito, desapareceu completamente em meio às trevas noturnas.

(1842)

O Retrato

Primeira parte

Nenhuma loja do Mercado Chtchukin atraía tanto a multidão quanto a do comerciante de quadros. A bem da verdade, ela oferecia aos olhares curiosos as mais heteróclitas das quinquilharias. Os quadros, expostos em molduras douradas e vistosas, eram na maioria pintados a óleo e recobertos por uma camada de verniz verde-escuro. Um inverno com árvores de alvaiade; um céu abrasado pelo vermelho vivo de um crepúsculo que poderíamos imaginar um incêndio; um camponês flamengo que, com seu cachimbo e seu braço desarticulado, pouco lembrava um ser humano. Estes eram os assuntos em voga. Acrescente-se a isso alguns retratos impressos: os de Khozrev-Mirza[1] com um gorro de astracã; os de não sei que generais, o tricórnio de batalha e o nariz fora de prumo. Por outro lado, como é regra em tais lugares, a fachada era inteiramente revestida com estampas grosseiras, impressas onde o diabo perdeu as botas, mas que no entanto revelam os dons naturais do povo russo. Numa delas pavoneia-se a princesa Milikitrisse Kirbitievna[2]. Em outra, se estende a cidade de Jerusalém, na qual um pincel sem vergonha iluminou

---

1. Almirante do Império Otomano sob o sultão Mahmud (mais tarde grande vizir), esteve em Petersburgo em 1829 como embaixador extraordinário após o assassinato de Brigoïédov em Teerã, quando se hospedou no palácio de Tauride.
2. A rainha (e não princesa) Milikitrisse é um personagem do conto popular Bova Korolévitch, derivado, por intermédio do italiano e do sérvio, de uma canção de gesta francesa, *Beuves de Hanstone*. Milikitrisse (deformação do italiano *meretrice*, cortesã), é mãe de Bova, e encarna a russa, a astúcia feminina.

de vermelhão as casas, as igrejas, uma boa parte do sol, até mesmo as mãos cozidas de dois camponeses russos a rezar. Estas obras, que desprezam os compradores, fazem as delícias dos bisbilhoteiros. É sempre possível encontrar, bocejando diante delas, tanto um criado paspalho trazendo da taverna a bandeja onde se encontra o jantar de seu patrão, o qual não correrá o risco de se queimar comendo sopa, quanto um destes "cavalheiros" aposentados que ganham sua vida vendendo canivetes, ou um vendedor ambulante do subúrbio de Okhta[3] carregando um tabuleiro cheio de sapatos velhos. Cada um se extasia a seu modo. Ordinariamente, os mais rudes apontam as imagens com o dedo. Os militares examinam-no com ares dignos. Os jovens lacaios e os aprendizes têm ataques de riso diante das caricaturas, nelas encontrando pretextos para gozações mútuas. As velhas domésticas com seus casacos de lã param para examinar, coisa própria de desempregados, e as jovens vendedoras precipitam-se em sua direção por instinto, como bravas mulheres russas ávidas por compreender o que dizem as pessoas e observar o que eles estão olhando.

Entretanto, o jovem pintor Tchartkov, que atravessava a Galeria, parou também involuntariamente diante da loja. Seu velho casaco e suas roupas mais do que modestas denunciavam o trabalhador obstinado para quem a elegância não tem esta atração fascinante que exerce costumeiramente sobre os jovens. Ele parou portanto diante da loja e, depois de debochar intimamente destas grotescas garatujas, perguntou-se para que elas poderiam ser úteis. "Que o povo russo se deleite

---
3. Okhta é um subúrbio de Petersburgo, junto a um pequeno afluente do Neva.

a ficar de olho em *Iérouslan Lazarévitch*[4], *O Bêbado e o Glutão*, *Tomás e Jeremias* e outros temas do mesmo porte, isso ainda vai! disse para si mesmo. Mas quem diachos pode comprar estes abomináveis borrões, vida rústica flamenga, paisagens estranhamente coloridas com vermelho e azul, que sublinham, infelizmente!, o profundo aviltamento desta arte que eles pretendem exaltar. Se ainda fossem ensaios de um pincel infantil, autodidata! Qualquer promessa se destacaria sem dúvida sobre o triste conjunto caricatural. Mas não se via ali senão idiotices, impotência, e esta incapacidade senil que pretende se imiscuir entre as artes em lugar de perfilar entre os trabalhos mais prosaicos; ela permanece fiel a sua vocação introduzindo o artesanato no mundo das artes. Reconhecemos em todas estas telas as cores, a feitura, a mão pesada de um artesão, a mão de um autômato grosseiro e não a mão de um ser humano."

Refletindo diante destes rabiscos, Tchartkov acabara por esquecê-los. Não percebeu nem mesmo que há algum tempo o lojista, um homenzinho com um bigode frisado cuja barba datava de domingo, matraqueava, barganhava, fixando preços sem se perturbar nem um pouco com os gostos e as intenções de sua clientela.

"É como lhes digo: vinte e cinco rublos por estes amáveis camponeses e esta charmosa paisagem. Que pintura, meu senhor, ela simplesmente vos fere os olhos! Acabo de recebê-las do depósito... Ou ainda este *Inverno*, fique com ele por quinze rublos! Só a moldura já vale mais do que isso!"

---

4. Herói de um conto popular, atribuído aos persas, o Roustem das lendas orientais. Os temas citados em seguida são retirados de contos moralistas ou satíricos vindos do Ocidente.

Neste ponto o vendedor deu um piparote na tela, sem dúvida para mostrar todo o valor daquele *Inverno*.

"Permita que eu o embrulhe e o entregue em sua casa? Onde mora? Ei, garoto! traga um barbante!

– Um instante, meu bom homem, vamos com calma!, disse o pintor voltando a si, vendo que o finório já estava amarrando os quadros para a venda."

E como sentia algum constrangimento em sair com as mãos vazias depois de ter ficado por tanto tempo parado dentro da loja, acrescentou em seguida:

"Espere, vou verificar se lá dentro encontro algo que me agrade."

Ele se abaixou para retirar, de uma enorme pilha jogada a um canto, velhos quadros empoeirados e sujos que não mereceriam evidentemente qualquer consideração. Lá estavam velhos retratos de família, da qual nunca foi possível é claro encontrar os descendentes; quadros cujas telas rasgadas já não permitiam reconhecer do que tratavam; molduras descoloridas; em resumo, um amontoado de velharias. Nosso pintor já não as examinava criteriosamente. "Talvez, dizia a si mesmo, descubra por aí alguma coisa." Mais de uma vez havia escutado conversas a respeito de descobertas surpreendentes que falavam de obras-primas achadas entre monturos de saldos.

Observando onde ele enfiava o nariz, o vendedor deixou de importuná-lo e, reassumindo a pose, voltou à sua função habitual ao lado da porta. Convidava, através de gestos ou de palavras, os transeuntes a entrar em seu estabelecimento.

"Por aqui, por favor, senhor. Entrem, entrem. Vejam que belos quadros, recém-chegados da sala dos mais vendidos."

Quando já se sentia cansado de colocar os bofes para fora, frequentemente em vão, e depois de tagarelar até se fartar com o belchior em frente, também ele plantado no portal de seu covil, lembrou-se subitamente do cliente esquecido no interior da loja.

"E então, meu caro senhor, disse ao encontrá-lo, achou algo que lhe interesse?"

Há algum tempo o pintor estava plantado diante de um quadro cuja enorme moldura, outrora magnífica, não exibia mais do que uns farrapos de dourado. Tratava-se do retrato de um velho vestido com um imenso traje asiático. O calor intenso do meio-dia consumia seu rosto bronzeado, apergaminhado, com maçãs salientes, e cujos traços pareciam ter sido concebidos num momento de agitação convulsiva. Por mais empoeirada, por mais deteriorada que estivesse aquela tela, Tchartkov, após limpá-la superficialmente, nela reconheceu a mão de um mestre.

Ainda que parecesse inacabada, a força das pinceladas revelava-se estupefaciente, sobretudo nos olhos, olhos extraordinários aos quais o artista havia dedicado seus maiores cuidados. Aqueles olhos estavam realmente dotados de "visão", uma visão que emergia do fundo do quadro e cuja estranha vivacidade parecia até mesmo conflitar com a harmonia do conjunto. Quando Tchartkov aproximou o retrato da porta, o olhar tornou-se ainda mais intenso e até mesmo a multidão se sentiu fascinada.

"Ele enxerga! Ele enxerga!", gritou uma mulher, recuando.

Cedendo a um indefinível mal-estar, Tchartkov colocou o quadro no chão.

"Então, vai levar?, perguntou o vendedor.

– Quanto? perguntou o pintor.
– Ora, não é caro! Setenta e cinco copeques[5].
– Não.
– Quanto daria?
– Vinte copeques, disse o pintor, prestes a sair.
– Vinte copeques! Está brincando! Só a moldura vale isso! Tem, é claro, a intenção de comprá-lo só amanhã... Senhor, meu senhor, reconsidere: acrescente ao menos dez copeques... Verdade, é apenas para que o senhor faça a estreia de minha loja. Tem a honra de ser meu primeiro comprador.

E fez um gesto que significava: Ora, tanto pior! Eis um quadro perdido!"

Por mera casualidade, Tchartkov acabara de arrematar o velho retrato. "Ah! pensava, porque diachos o comprei? Que necessidade tenho dele?" Mas sentiu-se obrigado a ir até o fim. Retirou do bolso uma moeda de vinte copeques, entregou-a ao vendedor e carregou o quadro debaixo do braço. Já a caminho, lembrou-se, não sem algum enfado, que aquela moeda era a última que tinha. Uma vaga tristeza invadiu-o: "Deus, como este mundo é malfeito!", disse ele com a convicção de um russo cujos negócios não são os mais brilhantes. Insensível a tudo, caminhava dando grandes passadas mecânicas. O crepúsculo cobria ainda a metade do céu, acariciando com um pálido reflexo os edifícios voltados para o poente. Mas logo a lua liberaria seus raios frios e azulados; logo as casas, os transeuntes, projetariam sombras suaves, quase transparentes, sobre o solo. Pouco a pouco, o céu, que difundia uma claridade duvidosa, diáfana e frágil, aprisionou os olhos

---

5. Moeda russa, de cobre, que vale a centésima parte do rublo.

do pintor, enquanto sua boca deixava escapar, quase simultaneamente, exclamações do gênero: "Que tons delicados!", ou "Puxa, que tolice cretina!" A seguir, ele apressou o passo, ajeitando o quadro que escorregava a todo momento de suas axilas.

Cansado, esfalfado, suando em bicas, chegou afinal em sua casa localizada na Décima Quinta Linha, em frente à Ilha Basile[6]. Venceu com muito custo as escadarias onde, entre ondas de águas servidas, cães e gatos haviam deixado respeitáveis lembranças de suas passagens. Bateu à porta. Como ninguém respondesse, encostou-se na janela e esperou pacientemente ressoarem atrás dela os passos de um sujeito usando uma camisa azul, um faz-tudo que lhe servia de modelo, moía suas cores e varria, quando era o caso, o assoalho, o qual suas botas imundas sujavam a seguir. Quando seu patrão estava ausente, este personagem, que se chamava Nikita, passava a maior parte do tempo na rua. A escuridão impediu-o por instantes de introduzir a chave no buraco da fechadura. Mas afinal ele o conseguiu. Então Tchartkov pôde colocar os pés em sua antessala, onde reinava um frio intenso, como na casa de todos os pintores, que de certo prestam pouca atenção a este inconveniente. Sem entregar sua capa a Nikita, entrou em seu ateliê, uma ampla peça quadrada, num nível mais baixo do que o piso, com vidraças cobertas de gelo, atulhada de todo tipo de quinquilharias artísticas: fragmentos de um braço de gesso, telas armadas, esboços abandonados, panos dependurados em cadeiras. Muito fatigado, retirou a capa, colocou distraidamente o retrato entre

---

6. A Ilha Basile, no extremo oeste de Petersburgo, é cortada por ruas paralelas, ou *Linhas,* indicadas por números.

duas pequenas telas e desabou sobre seu pequeno divã, do qual não seria possível dizer que estivesse revestido com couro. A fila de taxinhas que um dia fixara o tal couro já se desfizera há muito. Assim, Nikita podia agora escamotear por debaixo dele as meias pretas, as camisas, toda a roupa branca suja de seu patrão. Quando se esticou, tanto quanto era possível se esticar naquele divã estreito, Tchartkov pediu uma vela.

"Não temos, disse Nikita.

– Como?

– Ora, ontem já não havia nenhuma!"

O pintor lembrou-se que de fato "ontem já" não restava mais nenhuma vela. Achou melhor se calar, deixou-se despir e enfiou seu velho roupão, o qual era usado e até mesmo mais do que usado.

"Devo lhe dizer que o proprietário esteve aqui, disse Nikita bruscamente.

– Para reclamar o pagamento?, perguntou Tchartkov com um gesto de impaciência.

– Sim, mas ele não veio sozinho.

– E veio com quem?

– Não sei ao certo... parecia ser um comissário.

– Um comissário? Para fazer o quê?

– Não sei ao certo... parece que tem algo a ver com o vencimento do aluguel...

– E o que deseja comigo?

– Não sei ao certo... 'Se ele não pode pagar, disse ele, então é necessário que levante acampamento!' Os dois retornarão amanhã.

– Ora, que retornem!", disse Tchartkov com uma indiferença sombria.

E abandonou-se sem remissão a suas mais negras elucubrações.

Tchartkov era um jovem artisticamente muito bem-dotado e que prometia muito. Seu pincel conhecia acessos bruscos de vigor, de naturalidade, de observações refletidas. "Escute, meu rapaz, dizia-lhe com frequência seu mestre. Tu tens talento, seria um pecado sufocá-lo. Infelizmente, te falta paciência. Assim que algo te atrai, tu te lanças sobre ele sem cuidar do resto. Atenção, não vás te transformar num pintor da moda: tuas cores já são um tanto vivas, teu desenho não muito seguro, teu traço um tanto delicado. Costumas procurar os efeitos fáceis, as bruscas iluminações à maneira moderna. Cuida-te para não cair no gênero inglês[7]. O mundo te seduz e eu tenho medo disso. Muitas vezes te vejo com um lenço de seda no pescoço, um chapéu muito brilhante... É tentador, sem dúvidas, pintar imagens da moda e pequenos retratos bem remunerados; mas, creia-me, isso mata o talento ao invés de desenvolvê-lo. Paciência. Amadurece longamente cada uma de tuas obras, deixa que os outros arrebanhem o dinheiro; o que é teu não te abandonará de modo algum."

O mestre tinha razão apenas em parte. É certo que o nosso pintor experimentava algumas vezes o desejo de levar uma boa vida, de vestir-se com elegância. Em uma palavra: de ser jovem. Mas ele conseguia quase sempre se controlar. Frequentemente, estando com o pincel nas mãos, ele esquecia tudo e só o largava como se saísse de um sonho delicioso, bruscamente interrompido. Seu gosto se apurava mais e mais. Se não compreendia ainda toda a profundidade de Rafael, se se deixava seduzir pelo toque largo e ágil de Guide, parava diante dos retratos

---

[7]. Alusão a um pintor inglês, George Dow, que esteve em Petersburgo em 1819, autor de cerca de quatrocentos retratos de heróis de 1812, verdadeira produção em série que o tornou rico.

de Ticiano, admirava profundamente os flamengos. As obras-primas antigas ainda não haviam lhe revelado todos os seus segredos. Começava, no entanto, a erguer os céus por detrás dos quais eles se desvelavam aos profanos, ainda que em seu íntimo ele não mais partilhasse plenamente da opinião de seu professor, para quem os velhos mestres planavam a alturas inacessíveis. Até lhe parecia que, em certos aspectos, o século XIX os havia sensivelmente ultrapassado, que a imitação da natureza tornara-se mais precisa, mais viva, mais vigorosa; em resumo, pensava nestes assuntos como um jovem cujos esforços já haviam sido coroados por algum sucesso e que experimentava um legítimo orgulho de seus feitos. Às vezes, irritava-se ao ver um pintor de paisagens, francês ou alemão, e que talvez nem fosse artista por vocação, impor-se por processos rotineiros, a vivacidade do pincel, a explosão de cores, amealhando uma verdadeira fortuna de hora para outra. Tais pensamentos não o assaltavam nos dias nos quais, mergulhado em seu trabalho, esquecia de beber, de comer e de todo o universo. Só tomavam conta dele nas horas das torturas terríveis, quando não tinha com o que comprar fosse um pincel ou tintas, quando o inoportuno proprietário o caçava da manhã à noite. Então sua imaginação de faminto lhe apresentava como digna de inveja a sorte do pintor rico, e lhe ocorria a ideia bem russa de tudo abandonar para afogar sua tristeza na bebedeira e na libertinagem. Ele estava precisamente passando por um destes maus momentos.

"Paciência! Paciência!, resmungava ele. A paciência não pode no entanto ser eterna. É muito bonito ser paciente, mas ainda assim é preciso comer no dia seguinte. Quem me emprestará dinheiro? Ninguém! E se eu for vender meus quadros, meus desenhos, não me darão vinte copeques de forma alguma! Estes estudos me foram úteis, bem sei. Nenhum deles foi realizado em vão, cada um deles me ensinou alguma coisa! Mas para que servem todos estes infindáveis ensaios? Quem os comprará sem conhecer o meu nome? Ademais, quem poderá se interessar por desenhos a partir de obras antigas e de modelos, ou então a partir de minha Psique inacabada, ou da perspectiva de meu quarto, do retrato de Nikita, embora, francamente, todos valham mais do que aqueles de não importa que pintor da moda?... Na verdade, por que estou aqui a dar soco em ponta de faca, suando sangue sobre o abc de minha arte, quando poderia brilhar tanto quanto os outros e fazer fortuna tanto quanto eles?"

Ao dizer estas palavras, Tchartkov empalideceu e começou a tremer. Um rosto convulso, que parecia sair da tela que estava a sua frente, fixava nele dois olhos prestes a devorá-lo, enquanto um esgar arrogante exigia silêncio. Tomado de pavor, pensou em gritar, chamar Nikita, que já enchia a sala de espera com seus roncos épicos, mas o grito morreu em seus lábios, dando lugar a uma sonora gargalhada: acabara de reconhecer o famoso retrato, do qual já esquecera e que o clarão do luar que banhava a peça animava com uma vida estranha. Apanhou a tela, examinou-a, retirou com a ajuda de uma esponja quase toda a poeira e a sujeira que nela se acumularam. Depois, quando a dependurou na parede, admirou-se ainda mais com seu extraordinário poder. Agora o rosto estava vivo por inteiro e dirigia a ele um olhar que fez com que subitamente estremecesse, recuando, e balbuciasse:

"Ele vê, ele vê com olhos humanos!"

Uma história que lhe havia sido contada há muito por seu professor veio a sua memória. O ilustre Leonardo da Vinci havia trabalhado exaustivamente, dizem, durante anos num retrato que no entanto continuava a considerar inacabado; porém, a se crer em Vasari, todo mundo a tinha como a obra mais bem-sucedida, a mais perfeita. Seus contemporâneos admiravam sobretudo os olhos, nos quais o grande artista havia conseguido imprimir mesmo as mais imperceptíveis veiazinhas. No caso presente, não se tratava no entanto de um gesto de destreza, mas de um fenômeno estranho que chegava a perturbar a harmonia do quadro. O pintor parecia ter incrustado em sua tela olhos arrancados de um ser humano. Em lugar da nobre alegria que enleva a alma diante da visão de uma bela obra de arte, por mais repugnante que seja o tema, experimentamos diante desta um impacto incômodo.

"O que dizer? perguntou-se Tchartkov involuntariamente. Tenho diante de mim a natureza, a natureza viva. Sua imitação pura e simples seria portanto um crime que soaria como um grito discordante? Quem sabe, caso nos mostremos indiferentes, insensíveis com relação a seu tema, abandonando-o necessariamente a sua simples e odiosa realidade, sem que o ilumine a claridade deste pensamento impossível de apreender mas que não se encontra menos latente no fundo de tudo; ele surge da forma que se apresenta a qualquer um que, ávido por compreender a beleza de um ser humano, se arma de um bisturi para dissecá-lo e descobre apenas um espetáculo hediondo? Por que, para um tal pintor, a simples, a vil natureza se envolve em claridade, por que lhe provoca uma alegria deliciosa, como se tudo a sua volta se desenrolasse e se movesse segundo um ritmo mais ágil, mais agradável? Por que, para um outro pintor, que lhe foi no entanto igualmente fiel, esta mesma natureza parece abjeta e sórdida? O erro está na falta de luz. A mais maravilhosa paisagem parece também incompleta quando o sol deixa de iluminá-la."

Tchartkov aproximou-se mais uma vez do retrato para examinar aqueles olhos extraordinários e sentiu, não sem algum terror, que eles o observavam. Não era mais uma cópia da natureza, antes a vida perturbadora com a qual poderia se animar o rosto de um cadáver recém-saído de um túmulo. Seria um efeito da claridade lunar, esta mensageira do delírio que imprime em tudo um aspecto irreal? Não sei, mas ele sentiu um mal-estar súbito por se encontrar sozinho naquela peça. Afastou-se lentamente do retrato, virou-se, fez um esforço para não olhá-lo mais. No entanto, apesar de seu desejo, seu olho, incapaz de desviar-se, retornava sem descanso àquela direção.

Por fim, chegou a ficar com medo de caminhar pela peça: acreditava que alguém o perseguia e se virava temeroso. Sem ser covarde, tinha os nervos e a imaginação por demais sensíveis, e naquela tarde ele não conseguia entender seu medo instintivo. Sentou-se a um canto, mas mesmo assim teve a impressão de que um desconhecido iria se debruçar sobre seus ombros e o encarar. Os roncos de Nikita, que vinham da antecâmara, não dissipavam seu terror. Deixou medrosamente seu lugar, sem erguer os olhos, dirigiu-se à cama e deitou-se. Através das fendas do biombo, podia ver seu quarto iluminado pelo luar, bem como o retrato dependurado na parede em frente e cujos olhos, ainda fixados nele com uma expressão cada vez mais assustadora, pareciam decididos a não observar nada além dele. Ofegante de angústia, levantou-se, pegou um lençol e, aproximando-se do retrato, o cobriu por inteiro.

Um pouco mais tranquilo, deitou-se novamente e começou a pensar em sua pobreza, no destino miserável dos pintores, no caminho semeado de espinhos que deviam percorrer nesta terra. Entretanto, através de uma fenda no biombo, o retrato continuava atraindo invencivelmente seu olhar. Os raios da lua acentuavam a brancura do lençol, através do qual os terríveis olhos pareciam agora transparecer. Tchartkov arregalava os seus, como se quisesse se convencer de que não estava sonhando. Mas não... Via claramente: o lençol havia desaparecido e, desdenhando tudo que o rodeava, o retrato, completamente descoberto, olhava diretamente para ele, mergulhado, sim, esta é a palavra certa, mergulhado nas profundezas de sua alma.

Seu coração gelou. E súbito ele viu o velho mexer-se e, apoiando-se com as duas mãos na moldura, saltar com as duas pernas sobre o chão do quarto. A fenda não permitia senão visualizar a moldura vazia. Um ruído de passos ressoou, aproximando-se. O coração do pobre pintor batia violentamente. A respiração, entrecortada pelo medo, esperava o velho surgir a qualquer momento a sua frente. E de fato apareceu, girando seus olhos enormes no impassível rosto de bronze. Tchartkov quis gritar. Já não tinha voz. Quis mexer-se. Seus membros não se moviam. De queixo caído, a respiração curta, ele contemplava o estranho fantasma cuja alta estatura estava envolta em suas bizarras vestes asiáticas. O que será que ele iria fazer? O velho sentou-se junto a seus pés e retirou um objeto escondido sob as dobras de suas largas roupas. Era um saco. Desatou o nó, esticou-o pelos dois lados, sacudiu-o. Pesados cilindros, semelhantes a finas colunetas, caíram produzindo um som surdo. Cada um deles estava envolto por um papel azul e trazia a inscrição: "1.000 ducados"[8]. O velho retirou as mãos ossudas das largas mangas de sua veste e começou a estender os rolos. Peças de ouro brilharam. Superando o indescritível terror, Tchartkov, imóvel, percorreu com os olhos aquele ouro, observou-o a remexer-se com um retinir agudo entre as mãos descarnadas, cintilar, desaparecer. Súbito, percebeu que um dos rolos havia deslizado até o pé da cama, junto de sua cabeceira. Controlou-se quase convulsivamente e, em seguida, assustado com sua audácia, lançou um olhar medroso na direção do velho. Mas este parecia estar muito ocupado: havia embrulhado todos os seus rolos e os colocava novamente no saco. Em seguida, sem mesmo lhe dirigir um olhar, caminhou para o outro lado do biombo. Atento aos ruídos de passos que se afastavam, Tchartkov sentia seu coração bater em golpes bruscos. Apanhou o rolo com uma mão crispada e seu corpo tremia por inteiro com o pensamento de que poderia perdê-lo. Súbito os passos se aproximaram: o velho certamente percebera que um dos rolos estava faltando. E novamente o terrível olhar atravessou o biombo e colocou-se sobre ele. O pintor fechou o rolo em suas mãos com todas as forças do desespero. Fez um esforço supremo para mexer-se, soltou um grito e... acordou.

Um suor gélido inundava seu corpo. Seu coração batia como se fosse explodir. De seu peito oprimido parecia estar prestes a sair o último suspiro. "Então era um sonho?", perguntou a si mesmo, segurando a cabeça com as duas mãos. No entanto, a assustadora aparição tinha tudo de real. Agora que já não dormia, não via o velho

---

8. Moeda de ouro usada em vários países.

retornar à moldura, não percebia o tecido de sua ampla vestimenta, enquanto sua mão guardava ainda a sensação do peso que havia segurado há poucos instantes? O luar ainda atravessava o quarto destacando das sombras uma tela aqui, uma mão de gesso ali, uns panos abandonados sobre uma cadeira, uma calça, botas não engraxadas. Somente neste momento, Tchartkov percebeu que já não estava deitado em sua cama, mas plantado diante do quadro. Não conseguia saber nem como aí chegara nem como o quadro estava a sua frente inteiramente descoberto: o lençol havia desaparecido. Contemplava com um terror petrificado aqueles olhos vivos, aqueles olhos humanos fixados nele. Um suor frio inundou seu rosto. Queria se afastar, mas seus pés pareciam pregados ao chão. E ele viu – não, não se tratava de um sonho –, viu os traços do velho se mexerem, seus lábios estenderem-se na sua direção como se quisessem sugar o ar... Saltou para trás, soltando um grito assustador e, subitamente... acordou.

"Mas como! Era novamente um sonho!" O coração prestes a explodir, às apalpadelas verificou que estava de fato deitado em sua cama, na mesma posição em que havia dormido. Através da fenda do biombo, que estava a sua frente, o luar lhe permitia ver o retrato, ainda recoberto cuidadosamente com o lençol. Fora um novo sonho. No entanto, sua mão crispada ainda parecia segurar alguma coisa. Sua respiração aos solavancos, seus batimentos cardíacos tornaram-se insuportáveis. Além da fenda, enxergou o lençol e o olhar. Súbito, viu que este claramente se abria, como se mãos atrás do quadro procurassem puxá-lo. "Que está acontecendo, meu Deus?", gritou, fazendo o sinal da cruz desesperadamente e... acordou.

Ainda se tratava de um sonho! Desta vez ele saltou do leito, meio enlouquecido, incapaz de entender o que ocorria: tratava-se de um pesadelo, de um delírio, de uma visão? Procurando acalmar um pouco sua perturbação e as pulsações desordenadas de suas artérias, aproximou-se da janela e abriu o postigo. Uma brisa perfumada reanimou-o. O luar banhava os telhados e as paredes brancas das casas, enquanto pequenas nuvens corriam, cada vez mais numerosas, pelo céu. Tudo estava calmo, de tempos em tempos subia de uma ruela invisível o sacolejar distante de um fiacre, cujo cocheiro dormitaria sem dúvida ao balanço de seu pangaré preguiçoso, à procura de algum cliente retardatário. Tchartkov ficou muito tempo a olhar, a cabeça para fora da janela. Os sinais anunciadores da aurora já emergiam no firmamento quando sentiu o sono vencê-lo. Fechou o postigo, retornou à sua cama, deitou-se e dormiu. Profundamente, desta vez.

Acordou muito tarde, a cabeça pesada, vítima daquele mal-estar que experimentamos num quarto enfumaçado. Um dia pálido, uma desagradável umidade insinuando-se no ateliê por meio das frestas das janelas, cobrindo as telas e os quadros. Sombrio e enfastiado como um pinto molhado, Tchartkov sentou-se em seu sofá esfarrapado. Já não sabia o que fazer quando, súbito, o sonho voltou inteiro à sua mente e sua imaginação fez com que o revivesse com uma intensidade tão poderosa que terminou se perguntando se por acaso não teria realmente visto o fantasma. Retirando em seguida o lençol, examinou o retrato à luz do dia. Se os olhos ainda surpreendiam por sua vida extraordinária, não descobriu neles nada de particularmente assustador. Apesar disso, um sentimento incômodo, inexplicável, permanecia no fundo de sua alma: não conseguia convencer-se de que realmente sonhara. Em todo caso, uma estranha parte de realidade deveria ter se insinuado neste sonho: o próprio olhar e a expressão do velho pareciam confirmar sua visita noturna. A mão do pintor experimentava ainda o peso de um objeto que lhe fora arrancado havia poucos instantes. E se houvesse segurado o rolo mais fortemente? Sem dúvida o teria conservado em suas mãos, mesmo depois de despertar.

"Meu Deus, será que não tive em minhas mãos ao menos uma parte deste ouro?", disse, soltando um profundo suspiro. Reviu saírem do saco os rolos com a inscrição sedutora: "1.000 ducados". Eles se abriam, espalhando seu ouro, depois se fechavam, desapareciam, enquanto se sentia estúpido, os olhos fixos no vazio, incapaz de sair deste espetacular pesadelo, como uma criança que fica com a boca cheia de água ao ver os outros saborearem um doce de leite que lhe é interditado.

Uma batida à porta fez com que voltasse súbito à realidade. E seu proprietário entrou, acompanhado do comissário do quarteirão, personagem cuja aparição é, como ninguém o ignora, mais desagradável aos olhos de pessoas pobres do que a visão de um coletor de impostos para as pessoas ricas. O tal proprietário assemelhava-se a todos os proprietários de imóveis situados na Rua Décima Quinta da Ilha Basile, em algum canto da Velha Petersburgo ou no fundo do subúrbio de Koloma. Era um destes indivíduos – numerosos em nossa boa Rússia – cujo caráter seria tão difícil de definir quanto a cor de uma sobrecasaca usada. Nos tempos distantes de sua juventude, havia sido capitão no exército e mais não sei o que como civil. Grande vociferador, grande fustigador, virador e janota. No fim das contas, um mentecapto. Depois que envelhecera, todas estas particularidades distintivas haviam se fundido num conjunto indecifrável. Viúvo e aposentado, já não se fazia de valentão ou de gabola, nem de truculento. Gostava tão somente de tomar chá enquanto vendia toda espécie de bobagens. Andava de lá para cá em seu quarto, cumpria suas pequenas tarefas e, nos dias trinta de cada mês, ia exigir o dinheiro de seus locatários. Saía à rua, a chave nas mãos para examinar a propriedade, expulsava o porteiro de seu covil, quando o pobre diabo aí se escondia para tirar uma soneca. Em resumo, era um homem aposentado que, após ter cometido todas as loucuras durante a mocidade, não guardava a não ser hábitos mesquinhos.

"Verifique o senhor mesmo, Baruch Kouzmitch, disse o proprietário abrindo os braços: ele não paga o aluguel! Não paga!

– E o que o senhor quer que eu faça? Não disponho de dinheiro no momento. Tenha um mínimo de paciência!"

O proprietário soltou altos brados.

"Paciência! Impossível, meu amigo. Sabe quem são meus locatários, senhor? O tenente-coronel Potogonkin, senhor, e isso há sete anos, se me permite! A Senhora Anna Pétrovna Boukhmistérov, uma pessoa que tem três criadas, senhor, a quem alugo igualmente meu depósito e uma estrebaria com duas cocheiras. Em minha casa, veja bem, pagamos nossos compromissos, é o que lhe digo com toda franqueza. Queira portanto resolver-se de imediato e, ademais, sair de minha casa sem demora.

– Sim, evidentemente, já que o senhor a alugou, deve pagar a quantia combinada, disse o comissário com um leve meneio de cabeça, um dedo enfiado por detrás de um botão de seu uniforme.

– Como deseja que eu a pague? Não tenho um tostão sequer.

– Neste caso, quem sabe possa recompensar Ivan Ivanovitch com trabalhos de sua profissão. Ele talvez aceite ser pago em quadros?

– Em quadros? Muito obrigado, meu caro! Ainda se fossem pinturas com temas nobres, que pudéssemos colocar na parede: um general e suas condecorações, o príncipe Koutouzov, ou algo deste gênero! Mas não, este senhor não pinta senão miseráveis. Veja, eis aqui o retrato do galhardo sujeito que mói suas tintas. Quem teria a ideia de tomar como modelo um patife deste porte! Esse sujeito me dá vontade de lhe lascar umas pancadas. Foi capaz de retirar todos os pregos das dobradiças de minhas portas, o bandido!... Olhe estes temas!... Observe, este é seu quarto: se ao menos ele o mantivesse limpo e bem arrumado; mas não, ele o pinta com todas as sujeiras que arrasta aqui para dentro. Observe por um momento como ele foi capaz de emporcalhar esta peça. Olhe, olhe o senhor mesmo... Eu, em cuja casa pessoas de bem vivem há mais de sete anos: um tenente-coronel, a senhora Boukhmistérov... Não, decididamente, não existe um locatário pior do que um artista: isso vive como um porco! Deus nos livre de algum dia viver tal tipo de vida!"

O pobre pintor foi obrigado a ouvir pacientemente todas estas baboseiras. Enquanto isso, o comissário bisbilhotava estudos e quadros. Era possível perceber que sua alma, muito mais viva do que aquela do proprietário, era capaz de ser sensível à beleza artística.

"Arrá!, fez ele, apontando com um dedo uma tela sobre a qual estava pintada uma mulher nua. Eis aí um tema mais... divertido... E aquele pobre homem lá, por que tem uma mancha negra no nariz? Por acaso se sujou com tabaco?

– É a sombra, respondeu secamente Tchartkov sem voltar os olhos para ele.

– Você deveria colocá-la em outro lugar. Sobre o nariz é por demais visível, disse o comissário. E este aqui, quem é?, continuou, aproximando-se do famoso retrato. Dá medo de olhar para ele. Ele tinha na verdade um ar tão terrível? Ah, mas ele nos olha, simplesmente nos olha! Que bicho-papão! Quem lhe serviu de modelo?

– Oh, foi um...", quis dizer Tchartkov, mas um estalo lhe cortou a palavra.

Com suas pesadas mão de meganha, o comissário havia sem dúvidas apertado com demasiada força a moldura. A guarnição cedeu. Um lado caiu por terra e, ao mesmo tempo, um rolo envolto em papel azul, tilintando fortemente. A inscrição "1.000 ducados" saltou aos olhos de Tchartkov. Ele se precipitou como um insano sobre o rolo, agarrou-o, apertou-o convulsivamente em suas mãos, que cederam ao peso do objeto.

"Não foram moedas que tilintaram?", perguntou o comissário.

Ele havia ouvido bem que algo caíra sem que a prontidão de Tchartkov lhe permitisse saber exatamente do que se tratava.

"No que isso lhe interessa?

– No seguinte. O senhor deve um pagamento ao seu proprietário e, tendo dinheiro, está se recusando a pagar. Compreendeu?

– Está bem. Farei o pagamento hoje mesmo.

– E então por que, se pode me dizer, se recusou a fazê-lo anteriormente? Por que causou um aborrecimento a este homem tão digno... e à polícia, além de tudo?

— Porque eu não queria tocar neste dinheiro. Mas eu repito que acertarei minha dívida esta noite mesmo. E deixarei, a partir de amanhã, a sua casa, pois não quero mais depender de um tal proprietário.

— Então, Ivan Ivanovitch, ele irá pagar... E, caso não lhe dê inteira satisfação, hoje à noite... então, senhor artista, terá um problema conosco."

Dito isso, ele se cobriu com seu chapéu de três bicos e ganhou a antecâmara, seguido pelo proprietário, que ia de cabeça baixa e tinha um ar sonhador.

"Que alívio, graças a Deus!", exclamou Tchartkov, ao escutar a porta de entrada ser fechada.

Lançou um rápido olhar para antecâmara. Mandou que Nikita fosse dar uma volta para que pudesse ficar completamente sozinho. Retornando ao ateliê, o coração palpitando, abriu seu tesouro. O rolo, semelhante em tudo àquele que vira em sonho, continha exatamente mil ducados, novinhos em folha e escaldantes como fogo. "Não será acaso um sonho?", perguntou-se ele, ainda contemplando, meio louco, este monte de ouro, que apalpava perdidamente, sem recuperar o senso. Histórias de tesouros escondidos, de caixinhas em gavetas secretas legadas por ancestrais a descendentes cuja ruína pressentiam, assaltavam furiosamente sua imaginação. Acreditou estar diante de um caso deste tipo: sem dúvidas, algum avô terá imaginado deixar a seu neto este presente, trancafiado na moldura de um retrato de família. Arrastado por um delírio romanesco, chegou a se perguntar se não haveria aí uma ligação secreta com seu próprio destino: a existência do retrato não estaria ligada a sua, bem como a sua aquisição predestinada? Examinou muito atentamente a moldura: uma ranhura havia sido feita em um dos lados, posteriormente recoberta com uma tabuinha, mas com tanta habilidade e de modo tão pouco perceptível que, não fossem as pesadas patas do comissário, os ducados seguiriam repousando ali até a consumação dos séculos. Deixando de prestar atenção à moldura, voltou-se para a tela e admirou mais uma vez sua soberba execução e, particularmente, o extraordinário acabamento dos olhos: ele os olhava agora sem medo, mas ainda com um certo mal-estar.

"Vamos lá, disse a si mesmo, de quem quer que sejas avô, te colocarei um vidro e, em troca desta te darei uma bela moldura dourada."

Dizendo isso, deixou cair a mão sobre o monte de ouro esparramado a sua frente. Seu coração acelerou os batimentos.

"Faço o quê?, perguntou-se, percorrendo-o com os olhos. Isso assegura minha vida por três anos ou pouco menos. Tenho com o que comprar tintas, pagar meu jantar, meu chá, minha manutenção, meu alojamento. Posso trancar-me em meu ateliê e aí trabalhar tranquilamente, sendo que ninguém virá mais me importunar. Vou adquirir um excelente manequim, encomendar um torso de gesso e nele modelar as pernas, isso me dará uma Vênus. Comprar enfim gravuras que reproduzam os melhores quadros. Se eu trabalhar três anos sem me afobar, sem pensar na venda, poderei me tornar um bom pintor."

Eis o que lhe ditava a razão, mas no fundo dele mesmo erguia-se uma voz mais poderosa. E, quando tornou a lançar um olhar sobre o monte de ouro, seus vinte e dois anos, sua ardente juventude fizeram tilintar uma outra linguagem. Tudo aquilo que ele havia contemplado até então com olhos de inveja, tudo aquilo que havia admirado de longe, com água na boca, estava agora a seu alcance. Ah, como seu coração ardente se pôs a bater tão logo este pensamento lhe ocorreu! Vestir-se na última moda, fazer uma farra depois de todos aqueles longos dias de jejum, alugar um belo apartamento, ir seguidamente ao teatro, aos cafés, aos... Já havia saltado sobre seu ouro e se encontrava na rua.

Entrou antes de mais nada num alfaiate e, uma vez vestido dos pés à cabeça, não parou mais de se admirar como uma criança. Alugou sem pechinchar o primeiro apartamento que se encontrava livre na Perspectiva, um apartamento magnífico com grandes cortinados e janelas de um só vidro. Comprou perfumes, cremes, um binóculo de bolso muito caro com o qual não tinha o que fazer e muitas gravatas das quais não tinha necessidade. Encrespou os cabelos num cabeleireiro, percorreu a cidade duas vezes num landau[9] sem a menor necessidade, entupiu-se de bombons numa confeitaria, e foi jantar num restaurante francês, sobre o qual tivera até então noções tão vagas quanto a respeito do imperador da China. Jantando, fizera grande pose, olhara de cima para baixo seus vizinhos e ajeitara sem parar seus cachos olhando-se no espelho que estava a sua frente. Encomendou uma garrafa de champanhe, necessidade que não conhecia exceto pela reputação, e que lhe subiu ligeiramente à cabeça. Retornou à rua de muito bom humor e se deu ares de conquistador. Deambulou pelas calçadas de forma descontraída e alegre, apontando seu binóculo sobre os passantes. Viu sobre a ponte seu antigo mestre e passou altivo diante dele, como se nunca o tivesse visto: o bom homem permaneceu por um bom tempo bestificado, o rosto transformado num ponto de interrogação.

---

9. Carruagem com quatro rodas e capota conversível.

Naquela mesma noite, Tchartkov fez transportarem seu cavalete, suas telas, seus quadros, todas as suas coisas para o soberbo apartamento. Após haver disposto bem à mostra tudo que tinha de melhor, amontoou o resto num canto e se pôs a percorrer as dependências lançando frequentes olhadelas aos espelhos. Sentiu brotar em si o desejo invencível de violentar a glória e de mostrar ao universo aquilo de que era capaz. Acreditava já ouvir os gritos: "Tchartkov! Tchartkov! Já viu o quadro de Tchartkov? Que pincelada firme e rápida! Que talento vigoroso!" Um êxtase febril levava-o Deus sabe aonde.

Na manhã seguinte, pegou uma dezena de ducados e foi solicitar a colaboração generosa de um diretor de jornal em voga[10]. O diretor recebeu-o cordialmente, tratou-o como "querido mestre", apertou suas mãos, quis saber em detalhes seu nome, prenome e domicílio. E no dia seguinte, o jornal publicava, ao lado de um anúncio que enaltecia as qualidades de uma nova vela, um artigo intitulado: "O extraordinário talento de Tchartkov".

"Apressamo-nos em cumprimentar os habitantes esclarecidos de nossa capital: acabam de fazer uma aquisição que nos permitimos qualificar de magnífica sob todos os pontos de vista. Cada um de nós sabe que contamos entre nós com um grande número de rostos charmosos e belas fisionomias. Mas ainda não dispúnhamos de meios de fazê-los passar à posteridade através da intervenção miraculosa de um pincel. A partir de agora esta lacuna está preenchida: surgiu um pintor

---

10. Gogol provavelmente se refere ao jornal *A abelha do norte*, dirigida por seu inimigo literário Th. Boulgarine.

que reúne todas as qualidades necessárias. Doravante nossas beldades estarão seguras de se tornarem em toda sua graça deliciosa, etérea, encantadora, semelhantes às borboletas que adejam entre as flores da primavera. O respeitável pai de família ver-se-á rodeado de todos os seus. O negociante, tanto quanto o militar, o homem de estado como o mais simples cidadão, cada um continuará sua carreira com um zelo redobrado. Apressem-se, apressem-se, dirijam-se a sua casa, quando do retorno de uma caminhada, de uma visita a um amigo, a uma prima, a uma bela loja. Apressem-se em ir até lá, venham de onde vierem. Encontrarão em seu magnífico ateliê (Perspectiva Nevski, nº ***) uma multidão de retratos dignos dos Van Dyck e dos Ticianos. Mal conseguimos decidir o que devemos admirar mais neles: o vigor do toque, a luminosidade da palheta ou a semelhança com o original. Seja louvado, ó pintor, você tirou um número premiado na loteria! Bravo, André Pétrovitch! (O jornalista evidentemente amava a familiaridade.) Trabalhai em benefício da sua e da nossa glória. Sabemos apreciar seu trabalho. A afluência do público e a fortuna (ainda que alguns de nossos confrades se voltem contra ela) serão sua recompensa."

Tchartkov leu e releu este anúncio com um prazer secreto; seu rosto brilhava. Enfim a imprensa falava dele! A comparação com Van Dyck e Ticiano tocou-o enormemente. A exclamação "Bravo, André Pétrovitch!" não chegou a desagradá-lo: os jornais referiam-se a ele com intimidade e pelo primeiro nome. Que honra insuspeita! Tomado pela alegria, percorreu seu ateliê numa caminhada sem fim, desgrenhando seus cabelos com mãos nervosas, até que se deixou desabar numa cadeira. Depois saltou e se instalou sobre o sofá, ensaiando o modo como iria receber seus visitantes. A seguir, aproximou-se de uma tela, esboçando gestos suscetíveis de dar destaque tanto ao charme de sua mão quanto à criatividade de seu pincel.

No dia seguinte, bateram em sua porta. Correu para abri-la. Uma senhora entrou, seguida por uma jovem de dezoito anos, sua filha. Um criado vestido com um libré[11] com forro de pele as acompanhava.

"É o senhor Tchartkov?", perguntou a mulher.

O pintor inclinou-se.

"Fala-se muito do senhor; diz-se que seus retratos são o auge da perfeição."

Sem esperar resposta, a senhora, empunhando sua luneta de mão, avançou num passo ligeiro e começou a examinar as paredes, que no entanto encontrou vazias:

"Onde estão afinal os seus retratos?, perguntou ela.

– Foram levados..., disse o pintor ligeiramente confuso. Fiz minha mudança há pouco..., nem tudo está aqui.

– Esteve na Itália?, perguntou a senhora apontando a luneta em sua direção, à falta de outro objeto.

– Não... ainda não... Tenho a firme intenção... mas adiei minha viagem... Mas, eis aqui as cadeiras. A senhora deve estar cansada.

– Obrigada, fiquei muito tempo sentada em meu carro... Ah, ah, afinal vejo uma de suas obras!", gritou ela, dirigindo desta vez a sua luneta na direção da divisória contra a qual Tchartkov havia encostado seus estudos, seus retratos, seus ensaios de perspectiva. Ela aproximou-se deles rapidamente. "*É encantador. Lise, Lise, venha cá.*"[12] Um interior à maneira de Téniers.

---
11. Uniforme de criados em casas nobres.
12. As palavras ou frases em itálico estão em francês ou italiano no original russo.

Está vendo? Desordem, desordem por todo lado; uma mesa e um busto sobre ela, uma mão, uma palheta... e mesmo aí, poeira... Está vendo, está vendo a poeira? *É encantador*... Veja, uma mulher que lava seu rosto! *Que bela figura!*... Ah, um mujique!... Lise, Lise, veja: um mujiquezinho com uma blusa russa! Eu imaginei que o senhor pintasse somente retratos.

– Ora, tudo isso aí não passa de quinquilharias... Coisas com as quais me distraio... Simples estudos!

– Diga-me, o que pensa dos retratistas contemporâneos? Também julga que nenhum deles chega perto de Ticiano? Já não encontramos aquela força das cores, aquela... Que pena que eu não possa expressar meus pensamentos em russo!" A senhora, apaixonada por pintura, havia percorrido com sua luneta todas as galerias da Itália... "Entretanto, o senhor Nol... Ah, este sujeito, como pinta!... Creio que seus rostos chegam a ser mais expressivos do que os de Ticiano!... O senhor não conhece o senhor Nol?

– Quem é este Nol?

– O senhor Nol? Ah, que talento! Ele pintou o retrato de Lise quando ela tinha doze anos... É absolutamente indispensável que o conheça. Lise, mostre a ele o seu álbum. Como já percebeu, estamos aqui para que o senhor comece o seu retrato o mais rápido possível.

– Claro!... Imediatamente!"

Num piscar de olhos ele aproximou seu cavalete, já com uma tela, apanhou sua palheta, fixou seu olhar sobre o rosto pálido da jovem. Qualquer conhecedor do coração humano teria de imediato decifrado em seus traços: uma mania infantil pelo bailes; não poucos problemas e queixas ao longo da vida, tanto antes quanto depois do jantar; um vivo desejo de exibir suas roupas novas nos passeios; os pesados traços de uma aplicação indiferente a qualquer das artes incentivadas por sua mãe com vistas à formação de sua alma. Mas Tchartkov não via nesta figura delicada mais do que uma transparência de carnes que lembravam a porcelana preparada para se aplicar o pincel. Uma flacidez melancólica, o pescoço fino e branco, o talhe de uma elegância aristocrática seduziam-no. Preparou-se para superar-se, para mostrar o brilho, a leveza de um pincel que não havia tido à disposição até o presente exceto modelos com traços toscos além de cópias de grandes mestres. Já podia ver este gentil rostinho ser conquistado por ele.

"Sabe o quê?, fez a senhora, cujo rosto assumiu um ar quase comovedor. Eu queria... Ela está vestida com... Eu preferia, veja bem, não vê-la pintada usando uma roupa à qual já estamos habituados. Gostaria que estivesse vestida com simplicidade, sentada à sombra de folhagens, no meio de alguma pradaria... com um rebanho ou um bosque à distância..., que não fique com um ar de quem está indo a um baile ou a uma festa da moda. Os bailes, eu lhe confesso, são mortais para nossas almas. Atrofiam aquilo que ainda nos resta de sentimentos... Seria necessário, veja bem, mais simplicidade." (Os rostos de cera da mãe e da filha provavam, infelizmente, que haviam frequentado um pouco demais aos tais bailes.)

Tchartkov começou a trabalhar. Instalou seu modelo, refletiu por instantes, tomou seus pontos de referência pontuando o ar com o pincel, fechou um dos olhos, afastou-se ligeiramente para melhor avaliar o efeito. Ao término de uma hora, concluída a seu juízo a fase preparatória, começou a pintar. Inteiramente absorto por sua obra, quase esqueceu a presença de seus clientes aristocráticos e logo cedeu a seus modos de borra-tintas: cantarolava, soltava exclamações, ordenava, sem a menor cerimônia e com um simples movimento de pincel, que seu modelo erguesse a cabeça, o que terminou por fazer com que ela ficasse agitada e desse sinais de uma fadiga extrema.

"Chega por hoje, disse a mãe.
– Mais uns instantes, suplicou o pintor.
– Não, está na hora de irmos... Já são três horas, Lise. Ah, meu Deus, como está tarde!, gritou ela, retirando um pequeno relógio preso por uma corrente de ouro à sua cintura.
– Não mais do que um minuto!, implorou Tchartkov, com uma voz cândida, infantil.

Mas a senhora não parecia nem um pouco disposta a atender, naquele dia, às exigências artísticas de seu pintor. Prometeu, em contrapartida, demorar-se mais tempo da próxima vez.

"É muito angustiante, disse a si mesmo Tchartkov, minha mão começava a se soltar!" Lembrou-se de que, em seu ateliê na Ilha Basile ninguém interrompia seu trabalho: Nikita mantinha a pose indefinidamente e chegava até a dormir na mesma posição. Abandonou, despeitado, o pincel e a palheta e se entregou à contemplação de sua tela.

Um cumprimento da grande senhora tirou-o de seu devaneio. Precipitou-se em acompanhar as visitas até a porta da casa. Nas escadas, foi autorizado a visitá-las, convidado para um jantar na semana seguinte. Retornou a sua casa mais tranquilo, inteiramente conquistado pelo charme da grande dama. Até aquele momento havia considerado aqueles seres como inacessíveis, unicamente criados e colocados no mundo para rodar em seus belos veículos, com cocheiros e criados de pé e em grande estilo, não concedendo aos pobres pedestres mais do que olhares indiferentes. E eis que uma destas nobres criaturas havia estado em sua casa para lhe encomendar o retrato de sua filha e convidá-lo a visitar sua aristocrática residência. Uma alegria delirante invadiu-o. Para festejar este grande acontecimento, ofertou a sim mesmo um bom jantar, passou uma noitada festejando e novamente atravessou a cidade num landau, como sempre sem qualquer necessidade.

Nos dias seguintes, não conseguiu se interessar por seus trabalhos em andamento. Não fazia mais do que se preparar, esperando o momento em que alguém iria bater à porta. Enfim a grande dama e sua pálida criança chegaram. Fez com que sentassem, aproximou a tela – desta vez com desenvoltura e pretensões à elegância – e começou a pintar. O dia ensolarado, a claridade viva permitiram-lhe perceber sobre seu frágil modelo certos detalhes que, traduzidos para a tela, emprestariam um grande valor ao retrato. Compreendeu que, caso conseguisse reproduzi-los com a mesma perfeição com que lhes eram oferecidos pela natureza, faria alguma coisa de extraordinário. Seu coração começou mesmo a bater ligeiramente quando sentiu que iria exprimir aquilo que ninguém antes dele tinha sido capaz de perceber. Entregue a sua obra, novamente esqueceu-se da origem nobre de seu modelo. Ao ver estes traços tão delicados inteiramente entregues a seu pincel, esta carne maravilhosa, quase diáfana, ele quase se sentia desfalecer. Pensava em captar a mais sutil nuança, um leve reflexo amarelo, uma mancha azulada quase invisível sob os olhos. E já copiava uma pequena espinha colocada sobre a testa, quando escutou atrás de si a voz da mamãe:

"– Mas não, vamos lá!... Por que isso? É inútil... Ademais, me parece que em certos lugares o senhor fez... amarelado demais... E aqui, veja, parecem pequenas pintas escuras."

O pintor quis explicar que precisamente estas pintas e estes reflexos amarelados valorizavam o contraste com o rosto agradável e colorido. Ao que lhe foi respondido que não valorizavam coisa nenhuma, que tratava-se de uma ilusão de sua parte.

"Permita-me no entanto um ligeiro toque de amarelo, um só, aqui, veja", insistiu o ingênuo Tchartkov.

Não lhe foi permitido nem mesmo isso. Disseram-lhe que Lise não estava muito bem disposta naquele dia, pois habitualmente seu rosto, que era de uma frescura surpreendente, não exibia o menor sinal de amarelo.

Por bem ou por mal, Tchartkov foi obrigado a apagar aquilo que seu pincel fizera nascer sobre a tela. Alguns traços quase invisíveis desapareceram e com eles desfez-se uma parte da semelhança. Começou a imprimir ao quadro aquela nota mecânica que se pinta de memória e transforma os retratos de seres vivos em figuras friamente irreais, semelhantes a modelos de desenho. Mas o desaparecimento dos tons desagradáveis satisfizeram plenamente a nobre senhora. Ela fez questão de lembrar, no entanto, sua surpresa com o tempo que aquele trabalho estava ocupando. Haviam dito que Tchartkov concluía seus retratos em duas sessões.

O artista não encontrou o que dizer. Largou seu pincel e, quando precisou acompanhar as damas até a porta, permaneceu por um longo tempo imóvel e pensativo diante de sua tela.

Reviu com uma dor estúpida as nuanças leves que havia captado e depois apagado com pinceladas impiedosas. Tomado por estas sensações, afastou o quadro e foi procurar uma cabeça de Psique, que havia esboçado há algum tempo e depois abandonado num canto. Tratava-se de uma figura desenhada com arte, mas fria, banal, convencional. Retomou-a agora com a intenção de nela fixar os traços que conseguiu observar em sua visitante aristocrata e que estavam aprisionados em sua memória. Conseguiu de fato transportá-los para a tela na forma depurada que lhe imprimem os grandes artistas, os quais, embora impregnados de natureza, dela se distanciam para recriá-la. Psique pareceu se reanimar: o que não passava de uma implacável abstração se transformou pouco a pouco num corpo vivo. Os traços da jovem mundana lhe foram involuntariamente comunicados e ela adquiriu com isso aquela expressão particular que dá à obra de arte um toque de inegável originalidade.

Utilizando de detalhes, Tchartkov parecia ter conseguido liberar o caráter geral de seu modelo. Seu trabalho o apaixonava. Entregou-se inteiramente a ele durante vários dias e as duas senhoras o desconcertaram. Antes que ele tivesse tempo de esconder o quadro, elas bateram palmas e deram gritos de alegria.

"Lise, Lise! Ah, que semelhança! Soberbo, soberbo! Que bela ideia teve ao vesti-la com roupas gregas! Ah, que surpresa!"

O pintor não soube como afastá-las daquele equívoco. Sem jeito, abaixando os olhos, ele murmurou:

"É Psique.

– Psique! Ah, encantador!, disse a mãe brindando-o com um sorriso que foi imitado pela filha. Não é, Lise, que não poderia estar melhor como Psique? Que ideia deliciosa! Mas que arte! Poderíamos dizer que se trata de um Correggio! Bem que eu ouvira falar muito do senhor.

Li muito a seu respeito, mas, devo admitir? – não sabia que tinha um talento de tal porte. Vamos, é preciso que faça também o meu retrato."

Evidentemente, a boa senhora se via também sob os traços de alguma Psique.

"Tanto pior! Tchartkov disse a si mesmo. Já que não querem ser dissuadidas, Psique passará pelo que desejam."

"Tenha a bondade que sentar por um momento, disse ele. Tenho alguns retoques a fazer.

– Ah, temo que o senhor... Ela está tão semelhante!"

Entendendo que sua apreensão estava ligada sobretudo aos tons amarelos, o pintor apressou-se em acalmar as damas: queria apenas sublinhar o brilho e a expressão dos olhos. Na realidade ele sentia um embaraço extremo e, temendo que não censurassem sua insolência, procurou levar a semelhança o mais longe possível. Com efeito, rapidamente o rosto de Psique assumiu mais e mais claramente os traços da jovem pálida.

"Basta!", disse a mãe, temendo que a semelhança não ficasse tão perfeita.

Um sorriso, o dinheiro, cumprimentos, um aperto de mão bastante cordial, um convite para jantar. Em resumo, mil cumprimentos lisonjeiros pagaram ao pintor por seus sofrimentos.

O retrato foi uma sensação. A dama mostrou-o a seus amigos: todos admiraram – não sem que um leve rubor lhes viesse às faces – a arte com a qual o pintor soubera ao mesmo tempo preservar a semelhança e valorizar a beleza do modelo. E Tchartkov viu-se subitamente assaltado por encomendas. Toda a cidade parecia querer ser retratada por ele. Batiam a cada momento à porta. Evidentemente, a diversidade de todas estas figuras poderia lhe permitir a aquisição de uma prática extraordinária. Infelizmente, eram pessoas difíceis de serem satisfeitas, pessoas apressadas, muito ocupadas, ou criaturas mundanas, quer dizer, ainda mais ocupadas que as demais e por consequência muito impacientes. Todos pretendiam um trabalho rápido e bem feito. Tchartkov compreendeu que nestas condições ele não poderia pesquisar o acabamento. A presteza do pincel deveria tomar o lugar de qualquer outra qualidade. Bastaria captar o conjunto, a expressão geral, sem pretender aprofundar os detalhes, perseguir a natureza até sua perfeição mais íntima. Em outras palavras, cada um – ou quase cada um – de seus modelos tinha suas pretensões particulares. As senhoras pediam que o retrato desse conta antes de mais nada da alma e do caráter, o resto devendo ser muitas vezes completamente negligenciado. Que os ângulos fossem todos arredondados, os defeitos atenuados, até mesmo suprimidos. Em resumo, que o rosto, se não conseguisse provocar um impacto fulminante, inspirasse ao menos a admiração. Além do mais, elas assumiam, ao se instalar para a pose, expressões armadas que desconcertavam Tchartkov. Uma se fazia de sonhadora, outra de melancólica. Para afinar a boca, uma terceira espremia os lábios a ponto de dar a impressão de um ponto com a dimensão de uma cabeça de alfinete. Elas não deixavam no entanto de exigir dele a semelhança, o ar natural, a ausência de afetação.

Os homens não ficavam em nada atrás do sexo frágil. Este queria se ver com um porte enérgico de cabeça, aquele outro com os olhos erguidos na direção do céu, com um ar inspirado. Um tenente da guarda queria que seu olhar fizesse pensar em Marte. Um funcionário, que seu rosto exprimisse no mais alto grau a nobreza unida à retidão; sua mão deveria apoiar-se sobre um livro no qual estariam inscritas, bem visíveis, estas palavras: "Eu sempre defendi a verdade".

De início estas exigências perturbavam Tchartkov: impossível satisfazê-las seriamente num lapso de tempo tão curto! Mas logo ele compreendeu do que se tratava e parou de inquietar-se. Duas ou três palavras bastavam para que entendesse os desejos do modelo. Aquele que desejava ser Marte, o seria. Àquele que pretendia fazer o papel de Byron, outorgava uma pose e um porte de cabeça byronianas. Se uma dama desejasse ser Corina, Ondina, Aspasia ou Deus sabe lá o que, ele o concedia de imediato. Tomava apenas o cuidado de acrescentar uma dose suficiente de beleza, de distinção, o que, todos o sabem, não estraga nunca as coisas e pode perdoar ao pintor até mesmo a falta de semelhança. A espantosa presteza de seu pincel acabou por surpreender a ele mesmo. Quanto a seus modelos, declaravam-se naturalmente encantados e proclamavam seu gênio por todos os cantos.

Tchartkov tornou-se então, sob todos os aspectos, um pintor da moda. Jantava à direita e à esquerda, acompanhava as senhoras às exposições, mesmo às caminhadas, vestia-se como um dândi, afirmava publicamente que um pintor pertence à sociedade e não deve abrir mão de sua posição. Os artistas estavam muito enganados em se vestir como maltrapilhos, ignorar as boas maneiras, faltando inteiramente com a educação. Ele emitia agora juízos fulminantes sobre a arte e os artistas. Elogiava-se demasiado os velhos mestres: "Os pré-rafaelistas não pintaram mais do que equívocos. A pretendida santidade de suas obras não existe fora da imaginação daqueles que as contemplam. O próprio Rafael não é tão excelente assim, e somente uma tradição muito bem enraizada garante a celebridade de um bom número de seus quadros. Miguelângelo é totalmente desprovido de graça, este fanfarrão não pensava senão em ostentar sua ciência da anatomia. O brilho, o poder do pincel e do colorido são apanágios exclusivos de nosso século". Por uma transição bastante natural, Tchartkov chegava a ele próprio.

"Não, dizia ele, eu não compreendo aqueles que sofrem e empalidecem debruçados sobre seu trabalho. Quem se arrasta durante meses sobre uma tela não passa de um artesão; não acreditaria jamais que tem talento. O gênio cria com audácia e rapidez. Vejam o meu caso, por exemplo, pintei este retrato em dois dias, esta cabeça num único dia, este em algumas horas, aquela em no máximo uma hora... Não, vejam só, não chamo de arte o que se fabrica em conta-gotas. Trata-se de um trabalho, se quiserem, mas arte, de modo algum!"

Tais eram as tiradas que apresentava a seus visitantes. Estes por sua vez admiravam sua ousadia, o poder de seu pincel, aquela rapidez de execução que chegava a arrancar deles exclamações de surpresa, levando-os a trocar comentários uns com os outros.

"É um homem de talento, de grande talento! Escute-o falando, veja como seus olhos brilham. *Há algo de extraordinário em seu rosto!*"

O eco destes elogios lisonjeava Tchartkov. Quando a imprensa o cumprimentava, ele se alegrava como na infância, ainda que houvesse pago de seu próprio bolso por aqueles belos elogios. Dedicava uma alegria ingênua a estes artigos, levava-os por todos os lugares, mostrava-os de modo casual a seus amigos e conhecidos. Sua fama aumentava, as encomendas fluíam. Entretanto, estes retratos, estes personagens cujas atitudes e movimentos ele conhecia de cor, começavam a lhe pesar. Ele os ajeitava sem grande prazer, limitando-se a esboçar mais ou menos a cabeça e deixando a seus alunos a tarefa de concluí-los. De início, ainda inventara efeitos criativos, poses originais. Agora, até mesmo esta pesquisa lhe parecia fastidiosa. Refletir, imaginar, eram para seu espírito esforços demasiado penosos, aos quais não tinha mais tempo a dedicar: sua vida dissipada, o papel de homem do mundo que se esforçava por viver, tudo isso levava-o para longe do trabalho e da reflexão. Seu pincel perdia a vivacidade, o calor, escondia-se placidamente na mais óbvia banalidade. Os rostos frios, monótonos, sempre fechados, sempre abotoados, se assim podemos dizer, de funcionários, tanto civil quanto militares, não lhe ofereciam um campo bastante amplo: esquecia os suntuosos drapeados, os gestos ousados, as paixões. Não era possível agrupar personagens, estabelecer qualquer nobre ação dramática. Tchartkov não tinha diante de si mais do que uniformes, espartilhos, vestes negras, todos objetos adequados a regelar o artista e a matar a inspiração. Desta forma, suas obras estavam agora desprovidas das qualidades mais fundamentais. Gozavam das atenções da moda, mas os verdadeiros conhecedores sacudiam os ombros diante delas. Alguns deles, que haviam conhecido Tchartkov em outras épocas, não conseguiam entender como, mal tendo atingido seu pleno desenvolvimento, este jovem tão bem-dotado tenha subitamente perdido um talento do qual havia dado provas tão claras desde seus primeiros passos.

Em sua exaltação, o pintor ignorava estes críticos. Havia adquirido a gravidade da idade e do espírito. Engordava, desabrochava em largura. Jornais e revistas já o chamavam de "nosso eminente André Pétrovitch";

cargos honoríficos eram-lhe oferecidos; era nomeado membro de júris e de comitês de diversos tipos. Como é regra nesta idade respeitável, ele tomava agora o partido de Rafael e dos velhos mestres, não que tenha afinal se convencido de seu valor, mas para fazer disso uma arma contra os jovens confrades. Pois, sempre segundo a regra desta idade, ele reprovava à juventude a sua imoralidade, seu espírito perverso. Começava a crer que tudo neste vale de lágrimas se faz com demasiada facilidade, sob condição de ser rigorosamente submetido à disciplina da ordem e da uniformidade, a inspiração não passando de uma palavra vã. Em resumo, ele atingia o momento no qual o homem sente morrer nele todo entusiasmo, onde o arco inspirado não exala ao redor de seu coração mais do que sons melancólicos. O contato com a beleza não inflama mais as forças inexploradas de seu ser. Em contrapartida, os sentidos enfraquecidos tornam-se mais atentos ao tilintar do ouro, abandonando-se insensivelmente ao adormecer embalado por sua música fascinante. A glória não pode trazer alegria a quem a roubou: ela só faz palpitar os espíritos dignos dela. Assim, todos os seus sentidos, todos os seus instintos se orientaram na direção do ouro. O ouro tornou-se sua paixão, seu ideal, seu terror, sua volúpia, seu objetivo. As cédulas amontoavam-se em seus cofres e, como todos aqueles a quem é atribuído este medonho quinhão, tornou-se triste, inacessível, indiferente a qualquer coisa que não fosse ouro, economizando sem necessidade, acumulando sem método. Iria logo em seguida transmutar-se num destes seres estranhos, tão numerosos em nosso universo insensível, que o homem dotado de coração e de vida observa com pavor: eles lembram túmulos móveis que conduzem um cadáver em seu interior, um cadáver no lugar do coração. Um acontecimento imprevisto deveria, no entanto, sacudir sua inércia, revelar todas as suas forças vivas.

Um belo dia ele encontrou um bilhete sobre a mesa: a Academia de Belas Artes solicitava, encarecidamente, que ele, enquanto um de seus membros mais em evidência, desse sua opinião sobre uma obra enviada da Itália por um pintor russo que lá está aperfeiçoando sua arte. Este pintor[13] era um de seus antigos companheiros: apaixonado desde a infância pela pintura, a ela havia se consagrado com toda a sua alma ardente. Abandonando seus amigos, sua família, seus hábitos mais caros, precipitara-se rumo ao país no qual, sob um céu sem nuvens, se desenvolvia o grandioso viveiro da arte, aquela Roma soberba cujo simples nome faz com que bata tão violentamente o grande coração do artista. Aí vivia como um ermitão, mergulhado no trabalho sem trégua e sem descanso. Pouco lhe importava que se criticasse seu caráter, sua falta de tato e que a modéstia de suas roupas fizesse ruborizar seus confrades: ele se importava muito pouco com a opinião deles. Devotado de corpo e alma à arte, desprezava tudo o mais. Frequentador assíduo dos museus, passava horas e horas diante das obras dos grandes pintores, obstinado em perseguir o segredo de seus pincéis. Não terminava nada sem medir-se com seus mestres, sem tirar de suas obras um conselho eloquente ainda que mudo. Mantinha-se distante das discussões tumultuadas e não tomava partido nem contra nem a favor dos puristas. Como se prendia apenas às qualidades, sabia fazer justiça a cada

---

13. Trata-se de Alexandre Ivanov, amigo inseparável de Gogol, em Roma, entre 1838-1839 e setembro de 1840 até agosto de 1841.

um deles, mas finalmente ele não preservou mais do que um mestre, o divino Rafael – como o grande poeta que após muito ler obras maravilhosas ou grandiosas, escolhe como livro de cabeceira tão somente a Ilíada, por ter descoberto que ela abriga tudo que podemos desejar, que tudo é aí evocado com a mais sublime perfeição.

Quando Tchartkov chegou à Academia, encontrou reunida diante do quadro uma multidão de curiosos que respeitavam um silêncio compenetrado, muito insólito em casos semelhantes. Ele apressou-se em assumir uma expressão grave de conhecedor e se aproximou da tela. Deus do céu, que surpresa o esperava!

A obra do pintor oferecia-se a ele com a adorável pureza de uma noiva. Inocente e divino como o gênio, ela planava acima de tudo. Se diria que, surpresas com tantos olhares fixados sobre elas, aquelas figuras celestes baixavam modestamente as pálpebras. O espanto beato dos especialistas diante desta obra-prima de um desconhecido era plenamente justificado. Todas as qualidades pareciam estar aqui reunidas: se a nobreza altiva das poses revelava o estudo aprofundado de Rafael e a perfeição do pincel de Correggio, a força criadora pertencia ao próprio artista e dominava todo o resto. Ele havia aprofundado o menor detalhe, penetrado seu sentido secreto, a norma e a regra de todas as coisas, captado por todas as partes a harmoniosa fluidez das linhas que oferece a natureza e que só percebe o olhar de um pintor criativo, enquanto que o copista a traduz em contornos angulosos. Percebia-se que o artista havia de início acumulado em sua alma aquilo que retirava do meio ambiente, para fazê-lo em seguida jorrar desta fonte interior num só canto harmonioso e solene. Os próprios leigos deveriam reconhecer que um abismo incomensurável separa a obra criadora da cópia servil. Paralisados num silêncio impressionante, que não era interrompido por nenhum barulho, nenhum murmúrio, os espectadores sentiam sob seus olhos maravilhados a obra tornar-se de instante a instante mais altiva, mais luminosa, mais longínqua, até parecer um simples relâmpago, fruto de uma inspiração elevada e que toda uma vida não basta para preparar. Todos os olhos estavam cobertos de lágrimas. Os gostos mais diversos tanto quanto os mais distantes e insólitos pareciam se unir para endereçar um hino mudo àquela obra divina.

Tchartkov permanecia, também ele, imóvel e de queixo caído. Depois de um longo momento, curiosos e especialistas ousaram enfim elevar aos poucos a voz e discutir o valor da obra. Como solicitavam sua opinião, ele afinal retornou a si. Tentou assumir a expressão entediada que lhe era habitual e emitir um daqueles julgamentos banais caros aos pintores de alma esclerosada: "Sim, evidentemente, não podemos negar o talento deste pintor; vemos que ele quis exprimir alguma coisa; no entanto o essencial..."; depois disparar à guisa de conclusão certos tipos de elogios que deixariam sem fôlego o melhor dos pintores. Mas as lágrimas, aos borbotões, cortaram sua voz e ele fugiu como um demente.

Ficou algum tempo imóvel, inerte no meio de seu magnífico ateliê. Um instante bastara para revelar todo seu ser. Sua juventude parecia lhe ter sido devolvida, os lampejos de seu talento estavam prestes a se reacender. A viseira havia caído de seus olhos. Deus! Perder desta forma seus melhores anos, destruir, apagar este fogo que florescia em seu peito e que, desenvolvido em todo seu fulgor, talvez fizesse com que também ele arrancasse lágrimas de reconhecimento! E matar tudo isso, matá-lo implacavelmente.

Súbito e de uma só vez, os elãs, os ardores que conhecera em outros tempos pareceram renascer das profundezas de sua alma. Tomou seu pincel, aproximou-se de uma tela. O suor de seu esforço inundava sua fronte. Um único pensamento animava-o, um único desejo inflamava-o: representar o anjo decaído. Nenhum tema conviria melhor a seu estado de alma. Mas, infelizmente, seus personagens, suas poses, seus grupos, tudo carecia de riqueza e de harmonia. Por demasiado tempo seu pincel e sua imaginação haviam se fechado na banalidade. Haviam desdenhado demais o caminho montanhoso dos esforços progressivos, fazendo pouco caso das leis primordiais da grandeza futura, para que não soasse piedosa aquela tentativa de romper as amarras que havia imposto a si mesmo. Exasperado por este insucesso, tirou de sua frente todas as suas obras recentes, as ilustrações de modas, os retratos de hussardos, de senhoras, de conselheiros de Estado. Depois, após dar uma ordem para que ninguém entrasse, fechou-se em seu ateliê e mergulhou no trabalho. Foram inúteis as tentativas de manifestar a paciente obstinação de um jovem aprendiz. Tudo que nascia de seu pincel era irremediavelmente errado. A todo momento a sua ignorância dos princípios mais elementares o paralisavam. O trabalho enregelava sua inspiração, opondo à sua imaginação uma barreira intransponível. Seu pincel voltava invariavelmente a formas já conhecidas, as mãos juntavam-se num gesto familiar, a cabeça recusava-se a qualquer pose insólita, até as dobras dos vestidos não queriam mais se drapear sobre os corpos em atitudes convencionais.

"Será que em alguma ocasião eu tive talento?, terminou por se perguntar. Será que eu não me enganei?"

Querendo elucidar a questão, foi diretamente a suas primeiras obras, aqueles quadros que havia pintado com tanto amor e de forma desinteressada lá no seu miserável tugúrio da Ilha Basile, longe dos homens, longe do luxo, longe de todo refinamento. Enquanto os estudava atentamente, sua pobre vida de outras épocas ressuscitou diante dele. "Sim, concluiu com desespero, eu tive talento. É possível ver em tudo que fiz as provas e os sinais!"

Paralisou-se subitamente, seu corpo tremendo da cabeça aos pés: seus olhos haviam cruzado com um olhar imóvel fixado sobre ele. Era o retrato extraordinário que comprara certa feita no Mercado Chtchukin e do qual Tchartkov havia perdido até mesmo a lembrança, escondido que ele ficara por trás de outras telas. Como se fosse deliberadamente, agora que havia desembaraçado o ateliê de todos os quadros da moda que o entulhavam, o retrato fatal reaparecia ao mesmo tempo que suas obras de juventude. Aquela velha história retornava à sua memória e, quando lembrou-se de que aquela estranha esfinge havia de alguma maneira causado sua transformação, que o tesouro tão miraculosamente recebido fizera nascer nele as vãs cobiças funestas a seu talento, ele foi vencido por um ataque de raiva. Foi inútil ter dado em seguida um sumiço na odiosa pintura; sua perturbação não se apaziguou. Estava transtornado por inteiro e sentiu aquela assustadora tortura que corrói por vezes os talentos medíocres quando tentam inutilmente ultrapassar seus limites. Semelhante tormento pode inspirar grandes obras à juventude, mas, infelizmente, para quem passou da idade dos sonhos, não passa de uma sede estéril e que pode conduzir o homem ao crime.

A inveja, uma inveja furiosa, tomou conta de Tchartkov. Quando via uma obra marcada pelo selo do talento, o fel lhe subia às faces, ele rangia os dentes e a devorava com um olhar rancoroso. O projeto mais satânico jamais concebido por um homem germinou em sua alma e ele o executou em seguida com um ardor pavoroso. Começou a comprar tudo que a arte produzia de melhor. Após pagar muito caro por um quadro, ele o levava cuidadosamente para casa e se atirava sobre ele como um tigre para o estraçalhar, fazendo-o em pedaços, pisoteando-o enquanto dava gargalhadas de prazer. A grande fortuna que havia acumulado lhe permitia satisfazer sua infernal mania. Abriu todos os seus cofres, rasgou todos os seus sacos de ouro. Jamais qualquer monstro de ignorância havia destruído tantas maravilhas quanto este feroz vingador. Quando ele surgia em algum leilão, as pessoas desanimavam, sabendo que não conseguiriam comprar a mais insignificante obra de arte. Os céus encolerizados pareciam ter enviado este terrível flagelo ao universo com o objetivo de extrair dele toda beleza. Esta monstruosa paixão se refletia em traços atrozes sobre seu rosto sempre marcado de fel e de infelicidade. Ele parecia encarnar o demônio assustador imaginado por Puchkin[14]. Sua boca não proferia senão palavras venenosas ou anátemas eternos. Dava aos passantes a impressão de uma harpia[15]. Quanto mais de longe o percebessem, seus próprios amigos evitavam

---

14. Alusão a uma pequena poesia de Puchkin, *O demônio* (1823), que se tornou clássica.
15. Monstro alado, voraz e fabuloso, com cara de mulher, corpo de abutre e unhas aduncas.

cruzar com ele, pois, segundo julgavam, por certo iria envenenar o resto de seu dia.

Por felicidade da arte e do mundo, uma existência assim tensa não poderia prolongar-se por muito tempo. Paixões doentias e exasperadas cedo arruinam os organismos frágeis. Os acessos de raiva tornaram-se mais e mais frequentes. Logo uma febre maligna juntou-se à tísica galopante para, em três dias, fazer dele uma sombra. Os sintomas de uma demência incurável vieram juntar-se a estes males. Por um certo tempo, muitas pessoas não chegaram a percebê-lo. Ele acreditava rever os olhos esquecidos após tanto tempo, os olhos vivos do extravagante retrato. Todos que estavam a volta de seu leito lhe pareciam terríveis retratos. Cada um deles se desdobrava, se quadruplicava a seus olhos, todas as paredes cobriam-se com estes quadros que o fixavam com seus olhos imóveis e vivos. Do chão ao teto não havia lugar que não estivesse coberto por olhares assustadores e, para poder abrigá-los em maior número, a peça alargava-se, prolongando-se ao infinito. O médico que tentara curá-lo e que conhecia vagamente sua estranha história, procurava em vão que tipo de ligação secreta tais alucinações poderiam ter com a vida de seu paciente. Mas o infeliz já havia perdido todo senso, exceto aquele de suas torturas e não proferia mais do que palavras desconexas a respeito de suas abomináveis lamentações. Por fim, num derradeiro acesso, sua vida se foi, e não deixou nada além de um cadáver assustador para ver visto. Ninguém encontrou nada de sua imensa riqueza. Mas quando descobriram inúmeras obras de arte soberbas, cujo valor ultrapassava muitos milhões, retalhadas em farrapos, compreenderam que monstruoso emprego havia feito dela.

Segunda parte

Uma fila imensa de veículos – landaus, caleças, carruagens – estacionava diante do imóvel no qual se vendia em leilão as coleções de um destes ricos amadores que dormitara toda sua vida entre os *Zéphyrs* e os *Amours*[16] e que, para desfrutar do título de mecenas, gastava ingenuamente os milhões acumulados por seus ancestrais, em alguns casos por ele próprio no tempo de sua juventude. Como ninguém o ignora, estes mecenas não passam de uma lembrança e nosso século XIX há muito tempo assumiu a rabugenta figura de um banqueiro, que goza de seus milhões apenas quando estão sob a forma de números alinhados sobre papel. A vasta sala estava ocupada por uma multidão multicolorida que acorrera a este lugar como uma revoada de aves de rapina se abate sobre um cadáver abandonado. Lá estava toda uma esquadrilha de lojistas com sobrecasacas azuis à maneira alemã, originárias tanto do Bazar quanto da loja de roupas usadas. Suas expressões, mais decididas do que de costume, não ostentavam mais aquela solicitude bajuladora que se lê no rosto de todo vendedor russo em seu balcão. Aqui eles não faziam mais poses, ainda que se encontrasse na sala um bom número de aristocratas dos quais eles estavam prestes a espanar as botas com seu próprio chapéu. Para atestar a qualidade da mercadoria eles apalpavam sem cerimônia os livros e os quadros, e cobriam com ousadia os lances dados pelos nobres amadores. Lá estavam

---

16. Reminiscência de um verso de *Malheur d'avoir de l'esprit*, de Griboïédov.

também frequentadores assíduos destas vendas, cujo intervalo de almoço ocupavam. Aristocratas entendidos em arte que, não tendo nada de melhor para fazer entre o meio-dia e uma hora, não deixavam passar nenhuma ocasião de enriquecer sua coleção. Lá estavam, enfim, estes personagens desinteressados, cujos bolsos estão num estado tão lastimável quanto suas vestes, e que assistem todos os dias às vendas com o único fim de ver o rumo que as coisas tomam, saber quem fará com que os lances subam e quem finalmente os arrematará. Um bom número de quadros estava em meio à bagunça, por entre os móveis e os livros etiquetados com os preços estipulados pelos seus antigos proprietários, ainda que estes jamais tenham tido a menor curiosidade de destinar a eles a mais rápida passada de olhos. Os vasos da China, as mesas de mármore, os móveis novos e antigos, suas chancelas, suas esfinges, suas patas de leão, os lustres dourados e sem dourado, os candeeiros, tudo isso, amontoado numa só confusão, formava uma espécie de caos de obras de arte, muito diferente da ordem rigorosa das lojas. Todo leilão inspira pensamentos lúgubres; tem-se a impressão de estar assistindo a um funeral. A sala sempre escura, pois as janelas, fechadas pelas pilhas de móveis e de quadros, não filtram mais do que uma luz parcimoniosa. As feições taciturnas, a voz sinistra do leiloeiro conduzindo, com o auxílio de marteladas, o serviço fúnebre das artes desafortunadas, tão estranhamente reunidas neste local. Tudo reforça a impressão lúgubre.

A venda atingia seu auge. Uma multidão de gente de bom tom acotovelava-se, agitando-se febrilmente. "Um rublo, um rublo, um rublo!", gritava-se de todos os lados, e este grito unânime impedia o comissário de repetir o lance, que já atingia o quádruplo do preço pedido. Estes indivíduos estavam disputando um retrato e tal obra era realmente do tipo que despertava a atenção do menos avisado dos entendidos em arte. Ainda que muitas vezes restaurada, ela revelava de chofre um talento de primeira ordem. Representava um asiático vestido com um amplo cafetã. O que mais chocava neste rosto de tez bronzeada, com uma expressão enigmática, era a surpreendente vivacidade de seus olhos: quanto mais eram observados, mais eles mergulhavam no fundo de nosso ser. Esta singularidade, esta destreza do pincel, provocavam a curiosidade geral. Os lances subiram de imediato tão alto que a maior parte dos amadores se retirou, deixando a questão nas mãos de dois grandes personagens que não queriam de modo algum renunciar àquela aquisição. O clima esquentava e eles iam levar o quadro a um preço inacreditável quando um dos presentes, ao examiná-lo, súbito lhes disse:

"Permitam-me interromper só por um instante a sua disputa. Mais do que ninguém, tenho direito a este quadro".

A atenção geral voltou-se para o indivíduo. Era um homem de cerca de trinta e cinco anos, de bom porte, com longos cachos negros, e cuja fisionomia agradável, impressão de tranquilidade, revelavam uma alma distante das vãs preocupações do mundo. Sua roupa não mostrava qualquer preocupação com a moda: tudo em seu modo de ser indicava que se tratava de um artista. Com efeito, um bom número dos presentes de imediato reconheceram nele o pintor B***.

"É claro que minhas palavras parecem aos senhores muito estranhas, continuou, vendo todos os olhares que se voltaram para ele. Mas, se consentirem em escutar uma breve história, irão considerá-las talvez justificáveis. Tudo indica que este retrato é exatamente aquele que estou procurando."

Uma curiosidade muito natural surgiu em todos os rostos. O próprio leiloeiro parou, o queixo caído, o martelo erguido, e prestou atenção. No início de seu relato, muitos dos ouvintes se voltaram involuntariamente na direção do retrato, mas logo, com o interesse crescente, os olhares não abandonaram mais o homem que falava.

"Os senhores conhecem, começou ele, o bairro de Kolomna[17]. Não se parece com nenhum outro dos bairros de Petersburgo. Não é nem a capital nem o interior. Assim que entrarem nele, todo desejo, todo ardor juvenil vos abandona. O futuro não entra mais neste lugar. Tudo ali é silêncio e retrocesso. É o refúgio dos "rejeitados" pela grande cidade: funcionários aposentados, viúvas, gentalha que, mantendo agradáveis relações com o Senado, se condenaram a vegetar eternamente neste lugar. Cozinheiras que, após ter, ao longo do dia, vagabundeado por todos os mercados e tagarelado com todos os jovens quitandeiros, os trazem à noite para suas casas por cinco copeques de café e por quatro de açúcar. Enfim, toda uma categoria de indivíduos que podemos classificar de "cinzentos" por seus costumes, seus rostos, suas cabeleiras. Seus olhos têm um aspecto perturbado e cinza, como estes dias incertos, nem chuvosos nem ensolarados, nos quais os contornos dos objetos se esfumam na bruma. A esta categoria pertencem os biscateiros de teatro aposentados, igualmente os conselheiros titulares; os antigos

---

17. Subúrbio oeste de Petersburgo, entre a Moïka e a Fontanka, cujo encanto modorrento já havia sido cantado por Puchkin.

discípulos de Marte de olhos saltados ou de lábios inchados. Trata-se de seres inteiramente apáticos, que andam sem jamais levantar os olhos, não sussurram sequer uma palavra e não pensam nunca em nada. Seus quartos exalam o cheiro da aguardente que bebericam continuamente da manhã à noite. Esta lenta absorção os poupa da embriaguez escandalosa que as demasiado bruscas libações dominicais provocam nos aprendizes alemães, estes estudantes da rua Bourgeoise, reis incontestáveis das calçadas depois de soar a meia-noite.

"Que bairro bendito para os pedestres este Kolomna! É bem raro que um veículo de um senhor distinto nele se aventure. Só a farra dos atores perturba com seu alarido o silêncio geral. Alguns fiacres passam preguiçosamente, o mais das vezes vazios ou carregados com o feno destinado ao pangaré peludo que os puxa. Podemos aí encontrar um apartamento por cinco rublos por mês, incluindo o café da manhã. As viúvas titulares de algum benefício constituem a aristocracia do lugar: elas apresentam uma conduta muito decente, varrem meticulosamente seus quartos, deploram com seus amigos o preço da carne de boi e da couve; não é raro que tenham uma filha, criatura apagada, muda, mas às vezes agradável de se ver, um desagradável totó e um relógio cujo pêndulo vai e vem com melancolia. Vêm em seguida os comediantes, cuja modéstia de recursos os confina naquele lugar deserto. Independentes como todos os artistas, eles sabem gozar a vida: envoltos por seus roupões, eles consertam pistolas, fabricam todo tipo de objetos em papelão, jogam cartas ou xadrez com um amigo que vem visitá-los. Assim passam a manhã e até mesmo ao longo da noite, salvo quando acrescentam um pugilato a estas agradáveis ocupações.

"Após os tubarões, a arraia miúda. É tão difícil enumerá-los quanto recensear os incontáveis insetos que pululam no vinho azedado. Há aí velhas que rezam e velhas bêbadas. Outras que rezam e se embriagam ao mesmo tempo, velhas que reúnem tudo isso de uma forma que só Deus pode saber. Podemos vê-las arrastando-se como formigas, tristes farrapos humilhados, da ponte Kalinkin até o quarteirão dos vendedores de roupas usadas, onde têm muita dificuldade de arranjar quinze copeques. Em resumo, uma ralé tão estropiada que o mais caridoso dos economistas renunciaria a melhorar sua situação.

"Desculpe-me por ter insistido a respeito deste tipo de gente. Gostaria de fazer com que compreendessem a necessidade na qual estas pessoas se encontram frequentemente de procurar socorro urgente e de recorrer a empréstimos. Por esta razão, instalam-se entre eles agiotas de uma espécie particular que lhes emprestam, sob penhor, pequenas somas com juros altíssimos. Estes agiotas são ainda mais insensíveis do que seus confrades mais ilustres: surgem em meio à miséria, entre os esfarrapados expostos à luz do dia, espetáculo ignorado pelo agiota rico, cujos clientes andam em carruagens. Desta forma, todo sentimento humano morre prematuramente em seu coração. Entre estes agiotas, havia um... Antes preciso lhes dizer que as coisas se deram no século passado, mais exatamente durante o reinado da falecida rainha Catarina. Os senhores compreendem sem dificuldade que desde então os usos e costumes de Kolomna e mesmo seu aspecto exterior modificaram-se sensivelmente. Havia então entre estes agiotas um personagem por todos os títulos enigmático. Instalado há muito tempo neste bairro, ele usava uma ampla veste asiática e sua tez bronzeada revelava uma origem meridional. Mas a que nacionalidade pertencia ele exatamente? Seria hindu, grego ou persa? Ninguém sabia dizê-lo. Seu porte quase gigantesco, seu rosto lívido, moreno, calcinado, de uma cor horrível, indescritível, grandes olhos dotados de um fogo extraordinário, suas sobrancelhas fornidas, tudo o distinguia claramente dos acinzentados habitantes do bairro. Até sua moradia não se assemelhava em quase nada às casinhas de madeira das redondezas: sua construção de pedra, com janelas irregulares, com venezianas e trancas de ferro, lembrava aquelas que construíam outrora os negociantes genoveses. Tão diferente nisso de seus confrades, meu agiota podia adiantar não importa que soma e satisfazer todo mundo desde a velha mendicante até a cortesã pródiga. Os carros de luxo estacionavam com frequência diante de sua porta e podíamos ver algumas vezes por detrás de seus vidros a cabeça altiva de uma grande senhora. Sua fama espalhava o boato de que seus cofres estavam empanturrados de dinheiro, de peças preciosas, de diamantes, de penhores os mais diversos, sem que ele desse mostras da rapacidade habitual nos tipos de sua espécie. Ele abria espontaneamente os cordões de sua bolsa, acertava uma data de vencimento que o tomador julgava muito vantajosa, mas fazia, por meio de estranhas operações aritméticas, subir os juros a somas fabulosas. Ao menos é isso que dizia o rumor público. Entretanto – traço ainda mais surpreendente e que não deixava de confundir muita gente –, um destino fatal esperava aqueles que haviam recorrido a seus bons ofícios: todos terminavam tragicamente suas vidas. Seriam disparates supersticiosos ou boatos espalhados de propósito? Jamais se soube com certeza. Mas certos fatos, ocorridos com frequência aos olhos de todos, não deixavam mais nenhuma dúvida.

"Entre a aristocracia da época, um jovem de uma grande família atraía as atenções de todos. Apesar de sua pouca idade, ele se distinguiu a serviço do Estado, se mostrou um ardente zelador da verdade e da bondade, se empolgava com todas as obras de arte e do espírito, prometia tornar-se um verdadeiro mecenas. A própria imperatriz o distinguiu, confiando-lhe um posto importante, de acordo com suas aspirações, o que lhe permitia tornar-se muito útil à ciência e ao bem em geral. O jovem senhor rodeou-se de artistas, de poetas, de sábios: ele empolgava-se ao entusiasmar todo mundo. Empreendeu a edição, a suas custas, de numerosas obras, fez muitas encomendas, criou toda espécie de prêmios. Sua generosidade comprometeu sua fortuna, mas, em seu nobre ardor, não quis abandonar sua obra. Procurou recursos em toda parte e terminou por se dirigir ao famoso agiota. Mal este lhe entregou uma soma considerável, nosso homem se metamorfoseou por completo e se tornou de imediato um perseguidor de talentos nascentes. Começou a desmascarar os defeitos de cada obra, a interpretar de modo falso a menor frase. E como, por infelicidade, a Revolução Francesa estourou durante o decurso destes fatos, isso serviu a ele como pretexto a todas as vilanias. Via tendências e alusões subversivas por toda parte. Tornou-se desconfiado, a ponto de suspeitar de si mesmo, de dar fé aos mais odiosos dedos-duros, de fazer inumeráveis vítimas. A novidade de uma tal conduta deveria necessariamente chegar aos degraus do trono. Nossa magnânima imperatriz ficou tomada de horror. Cedendo a esta nobreza que ornamenta tão bem as cabeças coroadas, ela disse algumas palavras, cujo sentido profundo imprimiu-se em muitos corações, ainda que elas não se nos apresentem com toda a sua precisão. 'Não é, ela observou, sob os regimes monárquicos que se veem controlar os generosos elãs da alma nem desprezar as obras do espírito, da poesia, da arte. Bem ao contrário, só os monarcas se fizeram os protetores delas: os Shakespeare, os Molière, desabrocharam graças a seu apoio benevolente, enquanto que Dante não pôde encontrar em sua pátria republicana um canto no qual repousar sua cabeça. Os verdadeiros gênios se produzem nos momentos onde os soberanos e os Estados se encontram em todo o seu esplendor e não quando da abominação das lutas intestinas ou do terror republicano, que até o presente não deram ao mundo nenhum gênio. É preciso recompensar os verdadeiros poetas, pois longe de fomentar a agitação ou a revolta, fazem reinar nas almas uma paz soberana. Os sábios, os escritores, os artistas são as pérolas e os diamantes da coroa imperial; o reinado de todo grande monarca delas se adorna e delas retira um brilho ainda mais fulgurante.'

"Enquanto pronunciava estas palavras, a imperatriz resplandecia, ao que parece, com uma beleza divina. Os mais velhos não conseguiam evocar esta lembrança sem derramar lágrimas. Cada um deles havia assumido o caso com paixão: seja dito em nosso favor que todo russo se coloca espontaneamente do lado do mais fraco. O senhor que havia traído a confiança depositada nele foi punido de modo exemplar e destituído de seu cargo. O desprezo absoluto que ele pôde ler nos olhos de seus compatriotas lhe pareceu uma punição ainda muito mais terrível. Não é possível expressar os sofrimentos desta alma vaidosa:

o orgulho, a ambição frustrada, as esperanças partidas, tudo se somava para atormentá-lo e sua vida terminou em assustadores acessos de loucura furiosa.

"Um segundo fato, de notoriedade não menos geral, veio reforçar o sinistro rumor. Entre as numerosas beldades das quais então se orgulhava com todo o direito nossa capital, havia uma diante da qual todas as outras se desvaneciam. Prodígio muito raro, a beleza do Norte nela se unia admiravelmente à beleza do Sul. Meu pai julgava não ter jamais encontrado semelhante maravilha. De tudo lhe havia sido dado um quinhão: a riqueza, o espírito, o charme moral. Entre a multidão de seus admiradores se incluía com especial destaque o príncipe R***, o mais nobre, o mais belo, o mais cavalheiresco dos jovens. O tipo acabado do herói de romance, um verdadeiro Grandisson sob todos os aspectos. Loucamente apaixonado, o príncipe R*** se sabia correspondido, mas os parentes da jovem julgavam-no um partido insuficiente. Os domínios hereditários do príncipe haviam há um bom tempo deixado de lhe pertencer e sua família era malvista na Corte. Ninguém ignorava o estado calamitoso de seus negócios. Súbito, após uma curta ausência motivada pelo desejo de restabelecer sua fortuna, o príncipe rodeou-se de um luxo, de um fausto extraordinário. Bailes, festas magníficas tornaram-no conhecido nas altas rodas. O pai da jovem tornou-se favorável ao noivado e logo as núpcias foram celebradas com grande alarido. Donde provinha este brusco reencontro com a fortuna? Ninguém o sabia, mas era voz corrente que o noivo havia realizado um pacto com o misterioso agiota e obtido dele um empréstimo. Este casamento ocupou a cidade toda, os noivos foram objeto de uma inveja geral. Todo mundo conhecia a constância de seu amor, os obstáculos que se haviam atravessado em seu caminho, seus méritos recíprocos. As mulheres apaixonadas imaginavam por antecipação as delícias paradisíacas das quais iriam usufruir os jovens recém-casados. Mas tudo se passou de outra forma. Em poucos meses o marido tornou-se irreconhecível. O ciúme, a intolerância, os caprichos infindáveis turvaram seu caráter até então excelente. Tornou-se um tirano, o carrasco de sua mulher. Coisa que jamais se esperaria dele, lançou mão de procedimentos os mais desumanos e mesmo às vias de fato. Ao fim de um ano, ninguém podia reconhecer a mulher que outrora brilhava com uma luminosidade tão viva e arrastava atrás dela um cortejo de adoradores submissos. Não demorou e, incapaz de suportar por mais tempo seu amargo destino, ela pela primeira vez falou em divórcio. O marido de imediato foi tomado de fúria e se precipitou com uma faca na mão no apartamento da infeliz; se não tivesse sido contido, certamente a degolaria. Então, louco de raiva, ele virou a arma contra si próprio e acabou com sua vida em meio a terríveis sofrimentos.

"Além destes dois casos, dos quais toda a sociedade havia sido testemunha, contava-se uma série de outros, acontecidos nas classes inferiores, e quase todos mais ou menos trágicos. Aqui, um bom homem, muito compenetrado até então, havia se entregado subitamente à embriaguez. Ali, um empregado de uma loja começou a roubar de seu patrão. Após ter, por diversos anos, se conduzido pelo mundo de um modo muito honesto, um cocheiro de fiacre havia matado seu cliente por uma ninharia.

"Fatos semelhantes, mais ou menos amplificados ao passar de boca em boca, evidentemente semeavam o terror entre os tranquilos habitantes de Kolomna. A acreditar-se no rumor público, o sinistro agiota devia estar possuído pelo demônio: ele impunha a seus clientes condições que faziam qualquer um ficar com os cabelos arrepiados, mas os infelizes não ousavam revelá-las a ninguém. O dinheiro que emprestava tinha um poder incendiário, inflamava-se espontaneamente, carregado de símbolos cabalísticos. Em resumo, os boatos mais absurdos corriam a respeito do personagem. E, coisa digna de nota, toda a população de Kolomna, todo este universo de pobres velhas, de pequenos funcionários, de artistas modestos, toda esta arraia miúda que fiz desfilar rapidamente diante de seus olhos, preferia suportar o maior dos sofrimentos do que recorrer ao terrível agiota. Sabia-se, mesmo de anciãos mortos de fome, que preferiram abandonar-se à morte do que arriscar a danação. Qualquer um que o reconhecesse na rua sentia um pavor involuntário. O transeunte afastava-se prudentemente para em seguida seguir com o olhar aquela forma gigantesca que desaparecia ao longe. Seu aspecto extravagante bastaria para que cada um lhe atribuísse uma existência sobrenatural. Seus traços fortes, vincados mais profundamente do que sobre qualquer outro rosto, sua tez de bronze em fusão, suas sobrancelhas desmesuradamente volumosas, seus olhos assustadores, aquele olhar insuportável, até mesmo as grandes dobras de suas vestes asiáticas, tudo indicava que diante das paixões que turbilhonavam naquele corpo as dos outros homens se tornariam certamente pálidas.

"Cada vez que o encontrava, meu pai parava de imediato e não conseguia deixar de murmurar: 'É o diabo! O diabo encarnado!' Mas já é hora de lhes apresentar meu pai, o verdadeiro herói de meu relato, seja dito entre parênteses. Era um homem notável sob muitos aspectos. Um artista como poucos. Um destes fenômenos como só a Rússia é capaz de fazer brotar em seu seio ainda virgem. Um autodidata que, movido tão somente pelo desejo de aperfeiçoamento, chegara, sem mestre e ao largo de todas as escolas, a encontrar em si mesmo suas regras e suas leis e seguia, por razões quem sabe insuspeitas, a via que lhe traçava seu coração. Um destes prodígios espontâneos que seus contemporâneos julgavam com frequência ser ignorância, mas que justo dos fracassos e das zombarias sabe extrair novas forças, elevando-se rapidamente acima das obras que lhe valeram aquele epíteto pouco elogioso. Um nobre instinto fazia-lhe sentir em cada objeto a presença de um pensamento. Descobriu sozinho o sentido exato desta expressão: 'a pintura histórica'. Ele intuía a razão pela qual podemos dar este nome a um retrato, a uma simples cabeça de Rafael, de Leonardo, de Ticiano ou Correggio, enquanto que uma imensa tela cuja temática tenha sido retirada da história não passa no entanto de um *quadro de gênero*, apesar de todas as pretensões do pintor a uma arte histórica. Suas convicções, seu senso íntimo orientaram seu pincel para os temas religiosos, este grau supremo do sublime. Nem ambicioso, nem irritável, face a muitos artistas, era um homem firme, íntegro, direito e mesmo rústico, coberto por uma carapaça um tanto rugosa, não despido de certo orgulho interior, e que falava de seus semelhantes com uma mistura de indulgência e severidade. 'Eu me preocupo com esta gente!, tinha o costume de dizer. Não é de modo algum para eles que eu trabalho. Eu não carregarei minhas obras para os salões. Quem me compreender me agradecerá. Quem não me compreender elevará assim mesmo sua alma a Deus. Não poderíamos reprovar um homem do mundo por não ser entendido em pintura: os menus, os vinhos, os cabelos, não são segredos para ele, e isso basta. A cada qual o seu ofício. Prefiro o homem que confessa sua ignorância àquele que se faz de entendido e não consegue mais do que estragar tudo.' Ele se contentava com um ganho mínimo, exatamente o suficiente para manter sua família e seguir com sua carreira. Sempre prestativo com os outros, ajudava com prazer a seus confrades necessitados. Por outro lado, preservava a fé ardente e ingênua de seus ancestrais. Eis sem dúvidas a razão pela qual aparecia espontaneamente nos rostos que ele pintava a sublime expressão que em vão buscam os mais brilhantes talentos. Por seu trabalho paciente, por sua firmeza em seguir a rota que a si mesmo havia proposto, conquistou por fim a estima até daqueles que o haviam tratado como um ignorante e um grosseiro. A todo momento lhe encomendavam quadros de igreja. Um deles absorveu-o particularmente. Sobre aquela tela, cujo tema exato me escapa no momento, deveria figurar o Espírito das trevas. Desejoso de personificar neste Espírito tudo aquilo que atormenta e oprime a humanidade, meu pai refletiu longamente a respeito da forma que deveria lhe dar. A imagem do misterioso agiota martelou mais de uma vez seus pensamentos. 'Eis aí, dizia a si mesmo, quase sem querer, aquele que eu deveria tomar como modelo do diabo!' Imaginem portanto o seu espanto quando, num dia em que trabalhava em seu ateliê, escutou baterem à porta e viu entrar o espantoso personagem. Não conseguiu evitar um estremecimento.

"– Tu és pintor?, perguntou o outro sem cerimônia.

"– Sou, respondeu meu pai, surpreso com o rumo que tomava a conversa.

"– Bom, faça então meu retrato. Talvez eu morra em seguida e não tenho filhos. Mas não quero morrer por inteiro, quero viver. Podes pintar um retrato que pareça absolutamente vivo?

"Melhor não poderia ser, meu pai disse a si mesmo: ele mesmo se propõe a fazer o diabo no meu quadro!

"Combinaram a hora, o preço, e a partir do dia seguinte, meu pai, empunhando sua palheta e seus pincéis, dirigia-se à casa do agiota. Um quintal cercado por muros enormes, os cães, os portões de ferro e seus ferrolhos, as janelas curvas, os cofres recobertos por curiosos tapetes, sobretudo o dono da casa, sentado imóvel a sua frente, tudo isso produziu sobre meu pai uma forte impressão. Cobertas, entulhadas como de propósito, as janelas mal deixavam passar a luz do dia. 'Diacho! dizia ele, seu rosto está bastante bem iluminado neste momento!' E se pôs a pintar raivosamente, como se temesse ver desaparecer aquela feliz iluminação. 'Que força diabólica! meu pai repetia. Se eu conseguir captá-la, ainda que só pela metade, todos os meus santos, todos os meus anjos se tornarão pálidos ao lado deste rosto. Desde que eu seja, ao menos em parte, fiel à natureza, ele irá simplesmente sair da tela. Que traços extraordinários!' Trabalhava com tanto ardor que certos destes traços já se reproduziam sobre a tela. Mas, à medida que os captava, um mal-estar indefinível tomava conta de seu coração. Apesar disso, impôs a si mesmo a tarefa de copiar escrupulosamente até mesmo as expressões quase imperceptíveis. Ocupou-se antes de mais nada de concluir os olhos. Querer traduzir o fogo, o brilho que os animava, parecia uma pretensão louca. Decidiu no entanto perseguir as nuanças as mais fugitivas. Mal começou porém a penetrar seu segredo e uma angústia inominável o forçou a largar o pincel. Em vão tentou retomá-lo por diversas vezes. Aqueles olhos mergulhavam em sua alma e nela produziam um grande tumulto. Viu-se obrigado a abandonar a empreitada. No dia seguinte, no próximo, a atroz sensação se fez ainda mais contundente. Finalmente, meu pai, aterrorizado, largou o pincel e declarou claramente que parava por ali. Teria sido preciso ver como, frente a estas palavras, se transformou o terrível agiota. Ele atirou-se aos pés de meu pai e suplicou que terminasse seu retrato: seu destino, sua existência dependiam disso. O pintor já havia captado seus traços e, se os reproduzisse exatamente, sua vida estaria, por interferência de uma força sobrenatural, fixada para sempre sobre a tela. Graças a isso ele não morreria por inteiro, ele que desejava custasse o que custasse permanecer neste mundo... Este espantoso discurso aterrorizou meu pai. Abandonando seus pincéis e sua palheta, precipitou-se como um louco para fora da sala, e por todo o dia, por toda a noite, a inquietante aventura obcecou seu espírito.

"No dia seguinte pela manhã, uma mulher, o único ser que o agiota tinha a seus serviços, lhe trouxe o retrato: seu patrão, declarou ela, recusava-o e não pagaria nem mais um vintém. Na noite deste mesmo dia, meu pai soube que seu cliente estava morto e que estavam sendo feitos os preparativos para enterrá-lo segundo os ritos de sua religião. Meu pai procurou em vão o sentido deste bizarro acontecimento. Entretanto, uma grande alteração produziu-se em seu caráter: uma grande confusão, cujas causas ele não conseguia definir, transtornavam todo seu ser e a seguir ele fez uma coisa que ninguém poderia esperar de sua parte.

"Há algum tempo, a atenção de um pequeno grupo de peritos voltara-se para as obras de um de seus alunos, do qual meu pai havia desde o primeiro dia percebido o talento e a quem ele prezava acima dos demais. Súbito, a inveja insinuou-se em seu coração: os elogios que eram dirigidos a este jovem se lhe tornaram insuportáveis. E quando soube que haviam encomendado a seu aluno um quadro destinado a uma rica igreja recentemente edificada, seu despeito superou todos os limites. 'Não, dizia ele, não deixarei triunfar este fedelho. Ah, ah, já pensas em atirar os velhos para o lado. Vais com muita sede ao pote, meu rapaz! Graças a Deus, eu não sou ainda um inútil, e veremos quem de nós terá que baixar o pavilhão ao outro!' E este homem correto, este coração puro, este inimigo de intrigas manobrou tão bem que o quadro foi colocado sob concurso. Então ele se fechou em seu ateliê para aí trabalhar com um ardor selvagem. Parecia querer se colocar por inteiro em sua obra, o que obteve plenamente. Quando os concorrentes expuseram suas telas, estas, diante da sua, pareceram como a noite diante do dia. Ninguém duvidou que ele deveria levar o prêmio. Mas súbito um membro do júri, um eclesiástico, se estou bem lembrado, fez uma observação que surpreendeu todo mundo.

"– Este quadro, disse ele, mostra com certeza um grande talento, mas os rostos não respiram nenhuma santidade. Ao contrário, há em seus olhos um não sei que de satânico. Poderíamos dizer que um sentimento vil guiou a mão do pintor.

"Todos os presentes se voltaram para a tela e a pertinência desta crítica pareceu evidente a cada um deles. Meu pai, que a julgara por demais ferina, precipitou-se para verificar se era justa e constatou com estupor que ele havia dado a quase todas as figuras os olhos do agiota. Estes olhos reluziam com um brilho tão rancoroso, tão diabólico, que ele tremeu de horror. Seu quadro foi recusado e ele teve, apesar de seu inexprimível desprezo, de ver o prêmio ser entregue a seu aluno. Não me permito lhes descrever em que estado de furor ele retornou para casa. Só faltou bater em minha mãe, expulsou todas as crianças, quebrou seus pincéis, seu cavalete, agarrou o retrato do agiota, pediu uma faca que fez arder no fogo a fim de cortá-lo em pedaços e lançá-los às chamas. Um de seus confrades e amigo surpreendeu-o nestes lúgubres preparativos. Era um bom rapaz, sempre feliz, que não se envolvia com aspirações demasiado etéreas, dedicando-se alegremente a qualquer tarefa e mais alegremente ainda a um bom jantar.

"– Que está acontecendo? O que está pretendendo queimar?, disse ele aproximando-se do retrato. Misericórdia, mas é um de teus melhores quadros! Reconheço nele o agiota recentemente falecido. Conseguiste realmente captá-lo como tal, até melhor do que ao vivo, pois, quando vivo, nunca seus olhos olharam deste modo.

"– Pois bem, vou ver que olhar eles terão sob o fogo, disse meu pai, prestes a jogar a tela na lareira.

"– Pare, pelo amor de Deus!... Caso ele te desagrade a este ponto, dê a mim de presente.

"Após tanta insistência, meu pai acabou cedendo e se sentiu subitamente calmo quando seu jovial amigo, exultante, levou a tela. A angústia que lhe pesava sobre o peito parecia ter desaparecido com o retrato. Ficou estarrecido com seus sentimentos, com sua inveja, com a mudança manifesta de seu caráter. Quando por fim examinou seu ato, foi tomado por uma profunda aflição. 'Foi Deus quem me puniu, disse com tristeza. Meu quadro sofreu uma afronta merecida. Eu o concebi com o intuito de humilhar um irmão. A inveja tendo guiado meu pincel, este sentimento infernal acabaria por aparecer necessariamente na tela.' Ele saiu à procura de seu antigo aluno, apertou-o fortemente em seus braços, pediu-lhe perdão, procurou de todas as formas reparar seu erro. E em seguida retomou tranquilamente o curso de suas ocupações. Entretanto, parecia cada vez mais sonhador, taciturno, rezava mais, julgava as pessoas com menor rigor. A dura carapaça de seu caráter tornava-se mais doce. Um acontecimento imprevisto veio reforçar ainda mais este estado de espírito.

"Durante um certo tempo, o sujeito que havia levado o retrato não lhe dera sinal de vida. Meu pai estava prestes a procurá-lo quando o outro entrou súbito em seus aposentos e disse, após uma breve troca de gentilezas:

"– Então, meu caro, não estavas errado querendo queimar aquele quadro. Com mil diabos, eu não creio em bruxas, mas este quadro me mete medo! Acredite caso deseje, o maligno passou a residir dentro dele!...

"– Verdade?, fez meu pai.

"– Sem qualquer dúvida. Mal o havia dependurado em meu ateliê, soçobrei na escuridão. Por pouco não estrangulei alguém! Eu, que sempre ignorei o que fosse insônia, não apenas a conheci, mas tive daqueles sonhos!... Eram sonhos ou outro tipo de coisa, nem sei dizer. Um espírito tentava me estrangular e eu acreditava todo o tempo estar vendo o maldito velho! Em resumo, nem posso te descrever meu estado. Nunca me acontecera nada de parecido. Errei como um louco durante muitos dias: sentia sem parar não sei que tipo de terror, que apreensão angustiante. Não conseguia dizer a ninguém uma palavra agradável, sincera, acreditava sempre ter um espião a meu lado. Enfim, quando dei o quadro a meu sobrinho, que o pediu com insistência, senti como se uma pesada pedra abandonasse meus ombros. E como vê, encontrei ao mesmo tempo minha alegria. Bem, meu velho, podes te vangloriar de ter fabricado um belo diabo!

"– E o retrato ainda está com teu sobrinho?, perguntou meu pai, que o escutara com uma atenção contida.

"– Sim, é claro, na casa de meu sobrinho! Ele não conseguiu controlá-lo!, respondeu o alegre amigo. A alma do homem, não há como não acreditar, passou para o quadro. Ele sai da moldura, passeia pelo quarto! O que conta meu sobrinho é verdadeiramente inconcebível e eu o julgaria um louco se eu mesmo não houvesse sentido coisa parecida. Ele vendeu teu quadro a não sei que colecionador, mas este também não o suportou mais e também se desfez dele.

"Este relato produziu uma forte impressão em meu pai. De tanto pensar nele, mergulhou na hipocondria e se convenceu de que seu pincel havia servido de instrumento ao demônio, que a vida do agiota tinha sido, ao menos parcialmente, transmitida ao retrato: ela agora espalhava a confusão entre os homens, inspirando-lhes impulsos diabólicos, condenando-os às torturas da inveja, afastando os artistas de seu verdadeiro caminho, etc. Três desgraças acontecidas após esta ocorrência, as três mortes súbitas – de sua mulher, de sua filha, de um filho na primeira infância –, lhe pareceram um castigo dos céus e ele decidiu deixar o mundo. Mal eu havia completado nove anos, fez com que eu entrasse para a Escola de Belas Artes, pagou seus credores e se refugiou num monastério distante, onde tomou a seguir o hábito. A austeridade de sua vida, sua observância rigorosa das regras monásticas era motivo de júbilo entre os religiosos. O superior, ao perceber que artista hábil era meu pai, pediu-lhe de imediato que pintasse o quadro principal de sua igreja. Mas o humilde monge declarou com franqueza que, tendo profanado seu pincel, era indigno no momento de tocá-lo. Antes de empreender uma tal obra deveria purificar sua alma através do trabalho e das mortificações. Ninguém ousou contradizê-lo. Ainda que ele projetasse aumentar os rigores da regra, ela lhe pareceu demasiado fácil. Com a autorização do superior, retirou-se para um local solitário e construiu uma palhoça com galhos de árvore. Aí, alimentando-se exclusivamente de raízes cruas, transportava pedras de um lugar para outro e rezava da aurora até o cair do sol, imóvel, os braços erguidos para o céu. Em resumo, ele procurou as práticas mais duras, austeridades extraordinárias das quais não encontramos exemplos a não ser na vida dos santos. E durante muitos anos mortificou desta forma seu corpo, fortificando-o através da prece. Um dia por fim ele retornou ao monastério e disse num tom firme ao superior: 'Eis que estou pronto: se apraz a Deus, conduzirei minha obra a um bom termo'.

"Escolheu como tema o *Nascimento de Nosso Senhor*. Fechou-se por longos meses em sua cela, fazendo uso apenas de uma alimentação simples, trabalhando e rezando. Ao final de um ano o quadro estava terminado. Tratava-se realmente de um milagre do pincel. Ainda que nem os monges nem o superior fossem grandes conhecedores de pintura, a extraordinária santidade dos personagens deixou-os estupefatos. A doçura, a resignação sobrenatural com as quais impregnara o rosto da Santa Virgem debruçada sobre seu divino Filho; a sublime inteligência que animava os olhos, voltados em direção ao futuro, o Deus-Menino; o silêncio solene dos Reis Magos prostrados, embaraçados diante do grande mistério; a santa, a indescritível paz que envolvia todo o quadro; esta serena beleza, esta grande harmonia produziam um efeito mágico. Toda a comunidade caiu de joelhos diante da nova imagem santa e, tomado pela comoção, o superior exclamou:

"– Não, o homem não pode criar uma tal obra apenas com os recursos da arte humana! Uma força santa guiou teu pincel, o Céu abençoou teu esforço.

"Eu havia precisamente acabado meus estudos. A medalha de ouro obtida na Escola de Belas Artes me abria a agradável perspectiva de uma viagem à Itália, o mais belo sonho para um jovem de vinte anos. Não me restava mais do que despedir-me de meu pai. Não o via há doze anos e confesso que até mesmo a sua imagem se havia apagado de minha memória. Vagamente conhecedor de sua austeridade, eu esperava encontrar nele o rude aspecto de um asceta, estranho a tudo no mundo, exceto à sua cela e a suas orações, ressecado e esgotado pelo jejum e as vigílias. Qual não foi minha estupefação quando me vi diante de um velho muito bonito, quase divino! Uma alegria celeste iluminava seu rosto, no qual o esgotamento não havia ainda impresso suas marcas. Sua barba de neve, sua cabeleira rala, quase etérea, com o mesmo tom prateado, se espalhava pitorescamente sobre seus ombros, sobre as dobras de seu hábito negro, e caía até a corda que cingia sua pobre veste monástica. Mas o que maior surpresa me causou foi ouvi-lo pronunciar palavras, emitir juízos sobre arte que estão para sempre gravados em minha memória e dos quais eu gostaria que meus confrades tirassem igualmente proveito.

"– Eu te esperava, meu filho, disse-me quando me inclinei para receber sua benção. Eis que se abre à tua frente a rota onde tua vida vai doravante se engajar. É uma via nobre, dela não te afastes. Tu tens talento. O talento é o dom mais precioso do céu. Não o dilapides. Pesquise, estude tudo que vires, submete tudo a teu pincel. Mas que saibas encontrar o sentido profundo das coisas, buscando penetrar o grande segredo da criação. Feliz o eleito que o possui. Para ele nada há de vulgar na natureza. O artista criador é tão grande nos temas mais ínfimos quanto nos temas mais elevados. O que foi vil não o é mais graças a ele, pois sua alma transparece mesmo através de um objeto inferior, o qual, por ter sido purificado ao passar por ele, adquire uma nobre expressão... Se a arte está acima de tudo, é porque o homem encontra nela algo como um tira-gosto do Paraíso. A criação predomina mil e uma vezes sobre a destruição, uma nobre serenidade sobre as vãs agitações do mundo. Tão só pela inocência de sua alma radiante um anjo domina os orgulhos, as incalculáveis legiões de Satã. Da mesma forma a obra de arte ultrapassa em muito todas as coisas aqui de baixo. Sacrifique tudo à arte. Ame-a apaixonadamente, mas com uma paixão tranquila, leve, livre das concupiscências terrestres. Sem ela, de fato, o homem não pode se elevar acima da terra, nem fazer com que se ouça os sons maravilhosos que trazem a calma. Ora, é para tranquilizar, para pacificar, que uma grande obra de arte se manifesta ao universo. Ela não saberia fazer soar nas almas o murmúrio da revolta – é uma prece harmoniosa que tende sempre para o céu. Entretanto, há minutos, tristes minutos...

"Ele parou de falar e vi algo como uma sombra passar sobre seu rosto claro.

"– Sim, retomou ele, houve em minha vida um acontecimento... Eu me pergunto ainda quem era aquele de quem pintei a imagem. Parecia verdadeiramente uma encarnação do diabo. Eu o sei, o mundo nega a existência do diabo. Eu silenciarei a respeito. Direi apenas que o pintei com horror, mas pretendi, custasse o que custasse, superar minha repulsa e, sufocando todo sentimento, me manter fiel à natureza. Este retrato não chegou a ser uma obra de arte. Todos que o olhavam sentiam um violento abalo, a revolta rugia neles. Um tal estrago não é no entanto efeito da arte, pois a arte respira a paz mesmo na agitação. Disseram-me que o quadro passa de mão em mão, causando em todos os lugares cruéis devastações, abandonando o artista às sombrias fúrias da inveja, do ódio, lhe inspirando a sede cruel de humilhar, de oprimir seu próximo. Digne-se o Mais Alto a te preservar destas paixões, não são no entanto as mais cruéis. Mais vale sofrer mil e uma perseguições do que infligir a um outro a sombra de uma decepção. Salve a pureza de tua alma. Aquele em quem reside o talento deve ser mais puro do que os outros: a estes muito será perdoado, mas a ele, nada. Se um veículo espirra lama sobre um homem paramentado com roupas de festa, logo a multidão o rodeia, mostra-lhe o dedo, comenta sua negligência. Entretanto, esta mesma multidão não observa as numerosas manchas em outros passantes vestidos com roupas ordinárias, pois sobre estas vestimentas escuras as manchas não são visíveis.

"Ele me abençoou, me apertou contra o coração. Jamais eu havia sentido um emoção tão nobre. Foi com uma veneração mais do que filial que eu me apertei contra seu peito, que beijei seus cabelos prateados, livremente derramados. Uma lágrima brilhou em seus olhos.

"– Receba, meu filho, uma prece que vou te dirigir, me disse no momento do adeus. Talvez venhas a descobrir em algum lugar o retrato do qual te falei. Tu o reconhecerás de imediato pelos seus olhos extraordinários e seu olhar sobrenatural.

"Julguem os senhores se eu teria condições de negar juramento a este desejo. Nestes quinze anos jamais me aconteceu encontrar qualquer coisa que lembrasse, por pouco que fosse, a descrição feita por meu pai. E eis que, súbito, neste leilão..."

Sem terminar sua frase, o pintor voltou-se para o retrato fatal. Seus ouvintes o imitaram. Qual não foi sua surpresa quando perceberam que ele havia desaparecido! Um murmúrio sufocante percorreu a multidão e foi então escutada claramente esta palavra: "Roubado!" Enquanto que a atenção unânime estava suspensa pelas palavras do narrador, alguém havia sem dúvidas conseguido furtá-lo. Os presentes ficaram por momentos estupefatos, idiotizados, não sabendo se haviam realmente visto aqueles olhos extraordinários ou se seus próprios olhos, fatigados com a contemplação de tantos velhos quadros, haviam sido joguetes de uma vã ilusão.

(1841-42)

Cronologia de Gogol
(1809-1852)

(As datas são, salvo indicação dupla, aquelas do calendário juliano, então com um atraso de doze dias com relação ao gregoriano.)

20 de março/1º de abril de 1809. Nascimento em Sorotchinstsy (distrito de Mirgorod, província de Poltava) de Nicolas Vassiliévitch Gogol-Yanovski, filho de um pequeno funcionário vindo de uma família ucraniana de soldados e de padres tornados nobres no século XVII. Será o mais velho de doze irmãos, dos quais só sobreviverão, além dele, o caçula Ivan e quatro irmãs. Saúde frágil.

1809-1821. Infância em Vassilievka, onde seu pai possui cerca de 1.200 hectares e 200 "almas" (camponeses e servos domésticos).

1821-1828. Interno no Liceu de Niejine, estudos sem brilho, mas ele surpreende seus professores e condiscípulos com seus dons de imitador e de ator. *Dezembro de 1828*: partida para Petersburgo para iniciar uma carreira.

1829. Primeiros ensaios literários. Faz imprimir a suas custas um poema romântico, *Hans Küchelgarten*, sob pseudônimo. Ele mesmo retira seu livro das livrarias, queima todos os exemplares recuperados e jamais falará a respeito com ninguém, exceto seu condiscípulo Prokopovitch que guardará segredo até 1852. Em *julho de 1829*, partida brusca para a Alemanha, inventando numa carta a sua mãe uma história de fuga diante de um amor impossível, depois (como testemunho da primeira mentira) uma doença estranha a curar nas águas de Travemünde. Em *setembro*, retorno brusco a Petersburgo, para a casa de Prokopovitch.

1830. Empregos sucessivos no Ministério do Interior (Departamento de Edifícios Públicos), depois no Ministério da Corte (Departamento dos Apanágios), vida menos sofrida. Em *março*, *Os anais da pátria* publicam sua primeira novela ucraniana, *A noite de São João*. No outono ele tenta, sem sucesso, ingressar como ator nos Teatros Imperiais.

1831. Publica alguns artigos anônimos e fragmentos de novelas ucranianas no almanaque *Flores do norte*, editado por Delvig, o qual, amigo íntimo de Pochkin, o apresenta ao grupo do grande poeta: Pleitniov (diretor do "Instituto patriótico" para filhas de oficiais nobres, onde ele colocará Gogol como professor), Joukovski (poeta em plena glória, leitor da imperatriz-mãe e preceptor do pequeno Tzar, Alexandra Rosset (a partir de 1832 a Senhora Smirnov, acompanhante de honra da imperatriz que por sua vez apresentará Gogol a Puchkin pouco depois do casamento deste). Gogol se sente agora lançado no mundo literário e na aristocracia. Puchkin em especial o encoraja a escrever.

Setembro de 1831. Publicação do primeiro volume de *Noites na fazenda de Dikanka – (Vigílias da Ucrânia)*, novelas inspiradas no folclore ucraniano, com o pseudônimo de "Panko o Vermelho, instrutor de abelhas".

Março de 1832. Publicação do segundo volume. Sucesso e início de celebridade.

Verão de 1832. Conhece Michel Pogodin, historiador, arqueólogo e homem de letras próximo dos eslavófilos (início de uma amizade a princípio estreita que se tornará mais tarde mais e mais tempestuosa), e por seu intermédio, por ocasião de uma passagem por Moscou, de Serge Aksakov (patriarca do eslavofilismo) e dos meios literários de Moscou.

Outono de 1832. Conhece os ambientes literários "ocidentalistas" de Petersburgo (Annienkov, e por meio dele Biélinski, já um crítico influente), mas os frequenta pouco. Projeto de comédia satírica (*A cruz de São Vladimir*), que abandona por medo da censura.

1833. Interrupção em sua produção literária, crise de consciência e crise de vocação. Acredita descobrir em si uma vocação de historiador, chega até a solicitar uma cadeira de história na Universidade de Kiev, submete ao ministro Ouvarov um Plano de Ensino da História Universal. Em fevereiro de 1834, Ouvarov publica seu plano numa revista oficial, mas nomeia um outro para a cadeira postulada por Gogol.

Verão de 1834. *A desavença dos dois Ivans*, escrito em 1832, aparece num almanaque publicado pelo livreiro Smirdine. Em *24 de julho*, Gogol é nomeado professor adjunto de história na Universidade de Petersburgo. Em setembro, aula inaugural "Sobre a Idade Média" (decorada com perfeição): intensa curiosidade de seus ouvintes (entre os quais o jovem Ivan Tourguéniev). Grande sucesso, mas que declinará rapidamente. Suas aulas se tornarão cada vez mais curtas e irregulares. Aos poucos é abandonado, e até mesmo ridicularizado pelos estudantes. Mas retomou o trabalho literário.

1835. Em janeiro, publicação de *Arabescos*, agrupando, com *A Perspectiva Nevki*, *O retrato* e *Diário de um louco*, fragmentos das novelas ucranianas, suas lições na Universidade e artigos de crítica e pedagogia. Em março, publicação de *Mirgorod*, "novelas que dão sequência àquelas de *Noites na fazenda*..." (com a primeira versão de *Taras Bulba*). Reescreve e conclui *O nariz* (iniciada em 1832), que a revista de Pogodin (*O observador moscovita*) recusa como "suja e trivial". Em maio obtém junto à Universidade uma licença de quatro meses "por razões de saúde" e vai passar férias em Vassilievka e na Crimeia.

Outono-inverno de 1835. Em setembro, Puchkin oferece-lhe o tema de *Almas mortas*, "um tema particular, do que ele pretendia desenvolver um poema". A partir de 7 de outubro, comunica a Puchkin que já escreveu três capítulos, e lhe pede mais um tema, mas para uma comédia. Puchkin passa-lhe o tema do *Revisor (O Inspetor Geral)*. A partir de 6 de dezembro, Gogol informa a Pogodin que terminou a comédia, já em sua segunda redação. Além disso, diz que "deu adeus à Universidade" ("A opinião geral é de que eu meti o bedelho em coisas que não eram da minha conta."), mas que de agora em diante o preocupam "pensamentos elevados, cheios de verdade e uma assustadora grandeza... Obrigado a vocês, meus anfitriões, que derramaram sobre mim minutos divinos em minha estreita mansarda!"

Janeiro-abril de 1836. Primeiras leituras de *O Inspetor Geral* (e também de *O nariz*) nas casas da Senhora Smirnov e de Joukovski: grande sucesso. Para subtrair *O Inspetor Geral* da censura, Puchkin obtém de seus amigos uma intervenção diretamente junto ao Palácio. Nicolas I faz com que leiam a peça para ele e dá aos Teatros Imperiais a ordem de montá-la sem aguardar o visto do censor.

19 de abril de 1836. Primeira representação, em Petersburgo, de *O Inspetor Geral*, na presença do Tzar. Grande sucesso, mas alguns riem como se fosse uma simples farsa e outros se entusiasmam (a juventude nas galerias) ou ficam indignados (a alta *tchine* – burocratas – dos camarotes e da plateia) com a sátira social e quase política. Uma reflexão atribuída ao soberano ("Todo mundo a viu segundo seu grau, eu o primeiro.") salvará a peça. Gogol assistiu nos bastidores, nervoso e insatisfeito, mais do que os outros atento às reações hostis, magoado por ser malcompreendido. Escreve a seus amigos cartas desanimadoras e se recusa a assistir à representação de *O Inspetor Geral* em Moscou, no dia 25 de maio.

Junho-outubro de 1836. Viagem para a Alemanha (viagens incessantes de uma cidade a outra), depois para a Suíça (um mês em Genebra, um mês em Vevey), início de seu frenesi de deslocamentos. Trabalha com assiduidade e alegria em *Almas mortas*: "Eu o juro, vou fazer alguma coisa que não é a obra de um homem comum", escreve a Joukovski, pedindo-lhe segredo, exceto para Puchkin e Pletniov. Em Petersburgo, *O contemporâneo* de outubro publica *O nariz*, com apresentação do próprio Puchkin.

Novembro de 1836-fevereiro de 1837. Estadia em Paris (Praça da Bolsa, 12). Gosta dos passeios, do teatro, da cozinha dos restaurantes, mas detesta a atmosfera política: "Todos aqui se preocupam mais com os negócios da Espanha do que com os seus próprios". A redação de *Almas mortas* avança: "É um Leviatã que se prepara, escreve a Joukovski. Um estremecimento sagrado me percorre quando penso nisso... Minha obra é imensamente grande, e sua conclusão não é para logo..."

Fevereiro de 1837. Na residência dos Smirnov (então em Paris) toma conhecimento da morte de Puchkin (ferido em duelo no dia 27 de janeiro e falecido no dia 29). Profundamente afetado, abandona por uns tempos todo o seu trabalho. "Eu nunca realizei nada sem o seu conselho... Não escrevi uma só linha longe de seus olhos... Tenho o dever de conduzir ao término a grande obra que ele me fez jurar que escreveria, da qual o pensamento é obra sua", escreve a seus amigos.

Março de 1837-junho de 1839. Estadia em Roma, menos o verão (1837 em Baden-Baden, 1838 em Nápoles). É o pontificado de Gregório XVI, despotismo teocrático do qual Gogol, fechado à política, aprecia a atmosfera de piedoso conservadorismo ao abrigo de influências estrangeiras. "É a pátria de minha alma, onde minha alma viveu antes de meu nascimento... Não há lugar para nossas rezas exceto Roma; nos outros lugares, fazemos de conta..." Na Rússia, cala-se sobre seu círculo de amizades junto à aristocracia russa convertida, corre mesmo o rumor de sua própria conversão. Liga-se a Stiepane Chévyriov, professor e homem de letras, amigo de Pogodin, frequentando com ele os jovens artistas apadrinhados pelo Tzar. Vida sofrida, recorre a empréstimos de seus amigos de Petersburgo e de Moscou. Queixas a respeito da saúde, trabalho irregular em *Almas mortas*, alternando momentos de entusiasmo e de desânimo. Após uma visita de Pogodin, revisa suas obras anteriores tendo em vista uma reedição. Começa *Annunziata*, novela romana (que ficará inacabada com o título de *Roma*), apologia da atmosfera piedosa e conservadora da capital pontifícia aposta à estéril agitação política e novidadeira de Paris.

Julho-setembro de 1839. Estadia na Alemanha e na Áustria, no final de setembro partida para a Rússia para assistir suas irmãs, que terminam seus estudos no Instituto patriótico.

Outubro de 1839-maio de 1840. Estadia na Rússia, principalmente em Moscou, na casa de Pogodin, convivência cotidiana com a família Aksakov, onde é objeto de um verdadeiro culto, apesar de suas variações de humor. Em *abril de 1840*, leitura na casa de Aksakov dos capítulos IV, V e VI de *Almas mortas*: encantamento geral, todos deploram que Gogol se obstine em querer partir para Roma. Parte no entanto no dia 18 de maio, prometendo a seus amigos moscovitas retornar "dentro de um ano" com a primeira parte de *Almas mortas* concluída.

Junho-agosto de 1840. Estadia em Viena, de início um período de alegria, cartas muito engraçadas, primeira redação de *O capote*, revisão de *Taras Bulba*. Mas em agosto cai gravemente doente, profunda depressão nervosa, escreve seu testamento e "para não morrer entre os alemães", enfurna-se na Itália. A partir de Trieste "me senti melhor: a viagem, meu único remédio, fez o seu efeito" (carta posterior a Pogodin).

Outono de 1840-verão de 1841. Veneza, depois Roma, onde retoma aos poucos o trabalho. *Início de 1841*: convalescência e sentimento de uma regeneração interior. Volta a *Almas mortas* (revisão completa da primeira parte e preparação da segunda) e a *O Inspetor Geral* (quarta redação). *A partir de março de 1841*, período de exaltação criadora e de fé cada vez mais exaltada na "missão": "Uma criação espantosa se gera em minha alma... Aqui se manifesta com evidência a santa Vontade de Deus: semelhante inspiração não vem do homem... Tenho necessidade absoluta da estrada e da viagem: só elas me recolocam sobre meus próprios pés..." E ele pede a seus amigos que o ajudem, que peçam emprestado para ele. Em julho, segunda edição (profundamente modificada) de *O Inspetor Geral*, em agosto a primeira parte de *Almas mortas* está terminada. Deixa Roma no fim de agosto, passa setembro na Alemanha.

Outubro-dezembro de 1841. Retorno à Rússia, uma semana em Petersburgo em casa de Pletniov, depois em Moscou junto a Pogodin. *No dia 12 de novembro, Almas mortas* é submetido ao comitê de censura de Moscou, que o proíbe: o presidente Golokhvastov fica indignado de início com o título ("Jamais! A alma é imortal!"), depois, quando lhe explicam que se trata de "almas" de recenseamento: "Com mais razão ainda! É contra a servidão!"; os censores mais jovens também estão revoltados: "Dois rublos e meio a alma! Não se admitiria isso nem na França nem na Inglaterra! Nenhum estrangeiro quereria nos visitar!"... Gogol, enojado, decide dirigir-se à censura de Petersburgo, confia seu manuscrito a Biélinski, reencontrado sem o conhecimento dos eslavófilos.

Janeiro-abril de 1842. Espera desesperada da liberação da censura que não será dada antes de 9 de março (com umas trinta "correções" e a supressão da *História do capitão Kopéikin*), sendo que o manuscrito, que circula por Petersburgo, não lhe é devolvido a não ser em 5 de abril. Manda-o de imediato para a impressão e refaz o episódio de Kopéikin na tentativa de salvá-lo.

21 de maio de 1842. Almas mortas sai dos prelos. Café da manhã de despedida na casa de Aksakov, e Gogol promete a segunda parte "dentro de dois anos". *Em 23 de maio*, parte de Moscou, dez dias em Petersburgo, partida para a Alemanha.

Julho-agosto de 1842. Tratamento de saúde em Gastein. *Em julho, O contemporâneo* publica *O retrato* inteiramente reescrito, verdadeiro manifesto de uma concepção apostólica da arte. Entre 6 e 18 de agosto, longa carta a Aksakov na qual fala, com o estilo e por vezes com o vocabulário eslavo de homilia, de seu projeto de peregrinação à Terra Santa: "...Um homem que não usa nem capuz nem mitra, que fez rir e que faz os homens rirem, que persiste ainda em considerar importante colocar as coisas sem importância e o vazio da vida sob a luz, um tal homem não é, é estranho que ele empreenda tal peregrinação. Mas... como saber se não há, talvez, um liame secreto entre de um lado minha obra, entrada no mundo sob o tinir de seus guizos através de uma obscura portinhola, e não por um vitorioso arco do triunfo sob o estrondo de trombetas e ovações majestosas, e, por outro lado, esta longa viagem que planejo? E como saber se não há um profundo e miraculoso liame entre tudo isto e toda minha vida, e o futuro que avança invisível em nossa direção sem ser percebido por ninguém... Eis o que nos diz o homem que faz rir os homens".

Setembro de 1842-maio de 1843. Nova estadia em Roma. Trabalha um pouco em *Almas mortas*, mas revê e refaz extensamente suas obras anteriores: estas são publicadas em Petersburgo em 26 de janeiro de 1843, aos cuidados de Prokopovitch, em quatro volumes (sem incluir *Almas mortas*). Entre os inéditos: *O capote, Taras Bulba* quase inteiramente reescrito, *Hyménée, Os jogadores*, etc. "Esta obra é o que constitui no momento presente o orgulho e a honra das letras russas", escreve Biélinski. Mas a crítica de plantão reage com hostilidade redobrada e é a respeito dela que Gogol pede a seus amigos que lhe deem informações: "As crítica e reprovações me são extremamente úteis". Em *fevereiro* e *março de 1843*, ele pede a seus amigos moscovitas (Aksakov, Pogodin e Chévyriov) que se encarreguem de seus negócios por três ou quatro anos: lhe fornecer recursos (6 mil rublos por ano em duas vezes) para suas viagens ("elas me são tão indispensáveis quanto o pão cotidiano"), assistir sua mãe e suas irmãs: "Caso não disponham de outro recurso arrecadem para mim... Entretanto, não devo causar a ninguém a privação do necessário: ainda não tenho este direito..."

A partir de 1843 e durante três anos. Gogol, levando vida errante através da Europa, desaparece da cena literária russa. Espera-se em vão a continuação de *Almas mortas*: "Minhas obras são tão estreitamente ligadas a minha própria formação espiritual, e eu devo experimentar antes de tudo uma tão profunda reeducação interior, que não se deve esperar para breve a publicação de novas obras minhas", escreve a Pletniov em 24 de setembro/6 de outubro de 1843. Leituras e práticas religiosas cada vez mais assíduas, invasão do tom de sermão religioso em suas cartas, convidando seus correspondentes a aperfeiçoar-se como ele o faz.

Maio-outubro de 1843. Incessantes deslocamentos através da Itália, Áustria e Alemanha, onde encontra ocasionalmente Joukovski (em Frankfurt, mais tarde em Sem) e a Senhora Smirnov (em Baden-Baden, onde ele frequenta a aristocracia russa, notadamente o conde Alexandre P. Tolstoi, mais tarde procurador do Santo Sínodo). A respeito de *Almas mortas* ele se recusa ou evita falar.

Início de outubro de 1843. Uma carta de Joukovski deixa supor que Gogol retoma do zero a segunda parte de *Almas mortas*. Partida para Nice.

Inverno de 1843-1844. Estadia em Nice na casa da condessa Vielgorski e seus dois filhos: ele tem aí um auditório devoto que irá fortalecer sua vocação de diretor de consciências. Reencontra também a Senhora Smirnov, e entre eles começará então um período de encontros piedosos, depois uma correspondência de confessor a penitente: em Moscou corre o boato (pouco verossímil) de uma ligação amorosa. Ele não mais escreve senão cartas espirituais, sempre mais numerosas. Em *janeiro de 1844*, anuncia a seus amigos de Moscou, como presente de ano-novo, "um remédio para os males da alma": eles esperam a segunda parte de *Almas mortas*... e cada um deles recebe uma *Imitação de Jesus Cristo* acompanhada do modo de usar: "Leia a cada dia um capítulo, não mais... de preferência após o café ou o chá, a fim de que o apetite não o distraia..."

Março-dezembro de 1844. Constantes deslocamentos na Alemanha, verão em Ostende. "Eu temo o misticismo como o fogo e eu o vejo brotar em você; temo que o artista sofra com isso", lhe escreve Aksakov. Gogol responde que ele não mudou e que não é um místico, mas lhe pede o envio de obras de edificação religiosa, obras dos Padres da Igreja, etc. Todas as cartas desta época (que ele utilizará mais tarde em *Trechos escolhidos de uma correspondência com meus amigos*) têm um tom de pregação e é então o mais claro de seu trabalho "literário". *Almas mortas* não avança. "O tema e a obra são de tal forma ligados a minha formação interior que eu não sou capaz de escrever fora de minha própria presença e que eu devo aguardar a mim mesmo: avanço – a obra avança também; eu paro – ela também cessa de andar." (Carta a seu amigo, o poeta Yazykov.)

Dezembro de 1844. De Frankfurt, ele delega a seus amigos de Petersburgo (Pletniov e Prokopovitch) e de Moscou (Aksakov e Chévyriov) a missão de empregar o produto da venda de suas *Obras* em favor de estudantes que o mereçam, em segredo e sob juramento de não revelar nem o nome do doador nem dos beneficiários.

Janeiro-fevereiro de 1845. Três semanas em Paris como convidado do conde Alexandre P. Tolstoi (Hotel Westminster, rua da Paz, 9). Presença cotidiana nos ofícios da igreja russa, leitura de obras litúrgicas e teológicas.

Março-junho de 1845. Em Frankfurt, junto a Joukovski. Grave crise de depressão nervosa, a tal ponto que redige o Testamento que colocará na abertura dos *Trechos escolhidos* ("Que não me ergam um monumento..."). Inatividade quase total. *Entre 21 de março e 2 de abril,* uma carta à Senhora Smirnov anuncia, ao mesmo tempo, o abandono, ao menos momentâneo, de *Almas mortas* ("É impossível falar de coisas

santas se não começamos por sacrificar nossa própria alma...")
e a preparação dos *Trechos escolhidos*.

Verão de 1845. Publicação, em Paris, das *Novelas russas de Nicolas Gogol*, traduzidas por Luois Viardot (e Tourgueniev). Crítica elogiosa de Saint-Breuve na *Revista dos dois mundos*.

Junho-setembro de 1845. Consultas médicas e tratamento indo de uma cidade a outra da Alemanha, práticas religiosas, leituras edificantes, descrição de seus sofrimentos através suas cartas. Em *julho de 1845*, contra a vontade de todos (ele não o revelará senão nos *Trechos escolhidos*), põe fogo "no trabalho de cinco anos", ou seja, na segunda parte de *Almas mortas*.

Outono-inverno de 1845. Nova partida para Roma, em outubro, convalescença e retomada das atividades ("Roma sempre me reviveu e exaltou", escreve à senhora Smirnov), retomada (sempre muito secreta) dos *Trechos escolhidos*. Ele elide toda alusão a *Almas mortas*. No ano-novo, evocação em suas agendas: "Senhor, me abençoe na aurora deste novo ano, faça com que eu o consagre inteiramente a Seus serviços e à salvação das almas...Que o Espírito Santo destrua minhas impurezas..."

1846. Exaltação crescente e novo frenesi de viagens. Em março ele anuncia a Joukovski sua intenção de visitar durante o verão toda a Alemanha, a Inglaterra e a Holanda, no outono a Itália, no inverno a Grécia e o Oriente: "Em meio as minhas crises mais dolorosas, Deus me recompensou com instantes celestiais... Consegui até mesmo escrever alguma coisa de *Almas mortas*... Darei um jeito de escrever durante a viagem, pois se começa a ter necessidade de meu trabalho; aproxima-se o momento no qual a publicação de meu Poema será de uma necessidade essencial..." De fato, ele não trabalha a não ser nos *Trechos escolhidos*, que envia em cadernos sucessivos a Pletniov para que os imprima, pedindo-lhe segredo absoluto (salvo, necessariamente, para o censor). Paralelamente, mas sempre no sentido de seu apostolado, escreve um prefácio para uma reedição da primeira parte de *Almas mortas* e um *Desfecho de O Inspetor Geral*.

Julho-outubro de 1846. O "escândalo Gogol" explode nos meios literários da Rússia. Enquanto se continua esperando a sequência de *Almas mortas*, seu reingresso no mundo das letras após três anos e meio de silêncio é um artigo *Sobre a Odisseia traduzida por Joukovski*, apologia dos costumes patriarcais e diatribe contra as ideias novas. Ademais, Pletniov e o censor não guardaram segredo sobre os *Trechos escolhidos* e sua tendência piedosa e de bons sentimentos. Em *outubro* sai a segunda edição de *Almas mortas* (primeira parte), com a convocação *Ao leitor desta obra,* onde ele convida toda a Rússia a colaborar com sua obra. Enfim, seus amigos das duas capitais são informados por ele que está pensando numa nova representação de *O Inspetor Geral*, acrescido de uma conclusão "que o espectador não está preparado para imaginar por si mesmo" (e que tende a dar à peça um sentido alegórico ou místico: Khlestakov avatar do Diabo), e uma quarta edição da comédia "em benefício dos pobres" – precedida de uma *Advertência* petersburguesa e eslavófila moscovita –, como coletores e repartidores em seu empreendimento beneficente. Consternação de todos os seus admiradores de outros tempos, exultação irônica de todos os seus inimigos literários. Ele, entretanto, em Roma no mês de novembro, em Nápoles em dezembro, convencido de começar uma nova carreira, assume em suas cartas um tom cada vez mais seguro de si mesmo e do sucesso na medida em que se aproxima a publicação de *Trechos escolhidos*. Portanto, aos primeiros ecos do escândalo, muda de ideia ao menos quanto a *O Inspetor Geral* e faz com que seja suspensa sua representação e impressão.

31 de dezembro de 1846. Os trechos escolhidos de uma correspondência com amigos são editados em Petersburgo. As intervenções da censura nelas agravaram em muito a tendência reacionária e obscurantista. Intensificação do escândalo:

antigos detratores saúdam o retorno de Gogol às "ideias sãs", antigos amigos o batizam Tartufo Vassiliévitch.

1847. Sua confiança cede cada vez mais à dúvida, sobretudo após uma carta severa de Aksakov recebida em fevereiro: "Pensando servir ao Céu e à humanidade, você ofende a Deus e aos homens... Eles irão responder diante de Deus, aqueles que o encorajaram a entrar nas armadilhas de seu próprio espírito, do orgulho diabólico que você tem pela humildade cristã". *Em 22 de fevereiro*, ele escreve de Nápoles a Joukovski: "A edição de meu livro fez o barulho de uma espécie de bofetada: bofetada no público, bofetada em meus amigos, e bofetada ainda mais forte em mim mesmo. Eu me vi como se estivesse saindo de um sonho, sentindo, tal como um escolar gazeteiro, que fiz mais besteiras do que pretendera..." Segue no entanto acreditando na utilidade dos *Trechos escolhidos*, e sobretudo as críticas que eles desencadeiam: "Todos os ressentimentos que eu consegui ao preço de um trabalho incrível são insuficientes para que *Almas mortas* sejam aquilo que devem ser", escreve ao irmão da Senhora Smirnov em abril; "eis porque estou tão ávido de saber o que as pessoas estão dizendo de meu livro, pois nos julgamentos que fazem, é o próprio juiz que manifesta o que ele é". E ele solicita de todas as partes as críticas, sobretudo as mais severas, e escreve para justificar sua *Confissão de um autor* (não publicadas enquanto estava vivo). *A partir de junho*, novo frenesi de deslocamentos (Alemanha, Bélgica, Costa Azul, Itália) em busca do equilíbrio nervoso. Em *julho-agosto*, patética troca de cartas com Aksakov ("O livro me cobriu de vergonha, você o diz; é verdade, mas eu agradeço a Deus por esta vergonha; sem ela eu não teria visto minha indecência, minha cegueira... e eu não teria encontrado o esclarecimento de uma porção de coisas que me são indispensáveis conhecer para minhas *Almas mortas*..."), e com Bielinski, que lhe escreve de Salzburgo uma carta muito dura e bastante sectária, na qual faz com que se envergonhe de seus hinos à igreja ortodoxa, à autocracia e ao obscurantismo, e chega a ponto de atribuir a ele ser movido por interesses rasteiros: "Os hinos aos poderes do dia combinam muito com a posição terrestre do piedoso autor..." O Padre Matthieu Konstantinovski, sacerdote zeloso aos limites do fanatismo, a quem enviou os *Trechos escolhidos* por indicação do conde A. P. Tolstoi, lhe escreveu que ele "terá que responder por seu livro perante Deus". Intensificação das práticas piedosas, preparativos para a viagem à Terra Santa.

1848. Fim de janeiro, partida para o Oriente: Constantinopla, Smyrne, Rodes, Beirute, Jerusalém. Poucos registros em sua correspondência, exceto a expressão de sua decepção: "Tive a felicidade de comungar às Santas Espécies colocadas sobre o Santo Sepulcro como um altar – e não me tornei melhor... Em Nazaré, surpreendido pela chuva, passei dois dias esquecido de que estava em Nazaré, exatamente como se fosse uma escala de correio na Rússia", escreverá ele em 1850 a Joukovski. *Em maio*, retorno à Rússia, de início a Vassilievka, depois visita a Kiev em junho, a Moscou em setembro, a Petersburgo em outubro (na casa dos Vielgorski), novamente em Moscou (junto a Pogodin) de meados de outubro a dezembro. Perto do final do ano ele se volta para *Almas mortas*: "Antes de retomar seriamente a pena quero encher meus ouvidos com sons e palavras russas", escreve a Pletniov em novembro. Por esta época ele confia a Alexandre Bokharev (em religião o monge Théodore) sua intenção de concluir o "Poema" com a conversão de Tchitchikov a uma vida virtuosa: seria a terceira parte do romance.

1849. Está hospedado em Moscou na casa do conde Alexandre P. Tolstoi: ambiente de "pastores da igreja ortodoxa (sobretudo o padre Matthieu), de monges, de carolice, de superstição e misticismo", julga Aksakov. Mas Gogol está desde então livre de todas as preocupações materiais, seus direitos de autor geridos por seus amigos servindo unicamente para atender sua mãe e alimentar seu fundo de ajuda aos estudantes. No verão, visitas a seus amigos no campo: na casa dos Smirnov em Bieguitchev, na casa de Aksakov em Abramtsev: para surpresa deles, neste momento ele faz a leitura do primeiro capítulo da segunda parte de *Almas mortas*, mas se recusa a ler os capítulos seguintes já escritos.

Janeiro-junho de 1850. Novamente em Moscou na casa do conde Alexandre P. Tolstoi. "*Almas mortas* não está perto de sua conclusão, tudo não passa de um rascunho, exceto dois ou três capítulos", escreve a Pletniov em janeiro. Entretanto, no mesmo momento, ele lê na casa de Aksakov dois capítulos (o primeiro, inteiramente reescrito, e o segundo): "Agora estou convencido de que Gogol é capaz de cumprir a meta da qual falava com tanta petulância em sua primeira parte", escreve Aksakov a seu filho. *Em maio*, leitura do capítulo III na casa de Aksakov novamente entusiasmado. É em torno desta época que Gogol parece (segundo um rascunho de carta encontrada em seus papéis) ter pedido à condessa Vielgorski, sua grande admiradora desde 1836, a mão de sua filha Anne, que se tornara há dois anos sua discípula e confidente – e teve que suportar uma recusa: em todos os casos, cessam suas relações com os Vielgorski.

Junho a outubro de 1850. Viagem ao célebre ermitério de Optina, onde ele admira a benemerente influência dos monges até sobre os camponeses da região; depois férias em Vassilievka: trabalho literário pela manhã, depois desenho, jardinagem, botânica. *No dia 20 de agosto,* escreve à Senhora Smirnov: "Se Deus me der inspiração, a segunda parte (de *Almas mortas*) estará concluída neste inverno".

Fim de outubro de 1850-março de 1851. Longa estadia em Odessa, em casa de seu parente distante A. Trochtchinski. Novo período de leituras e práticas piedosas ("ele reza como um mujique", dizem as domésticas do príncipe Repnin cuja casa ele frequenta quotidianamente), crises de abatimento e de sonolência. *Almas mortas* avança lentamente.

Primavera-verão de 1851. Maio em Vassilievka, posterior retorno a Moscou junto ao conde A. P. Tolstoi. Trabalho mais ágil. *Em 24 de junho* leitura em casa de Aksakov do capítulo IV. De julho a setembro, numerosas visitas a amigos no campo. *Em 15 de julho*, carta a Pletniov falando da preparação do segundo volume de *Almas mortas*, e também da reedição de suas *Obras* (ele lhe pede o sacrifício de seu próprio exemplar para obter a liberação da censura: a edição de 1842 não pode ser encontrada, vendida no mercado negro, e corre o boato de que a reedição está proibida). Fim de julho, ele lê para Chévyriov sete capítulos já completos de *Almas mortas*, depois lhe pede que não o diga a ninguém, nem mesmo que faça alusão.

Setembro de 1851. Um amigo lhe envia o que escreveu Herzen, em Londres, a respeito em sua brochura (proibida na Rússia) "Sobre o desenvolvimento das ideias revolucionárias na Rússia". Gogol fica muito chocado com o papel panfletário que lhe é atribuído, mais ainda com a acusação de ter "traído" as ideias que ele encarnava em suas obras. Nova crise moral e nervosa: no dia 22, parte de Moscou para estar em Vassilievka durante o casamento de sua irmã; num brusco acesso de melancolia, ele volta em direção de Kalouga, indo pedir conselhos ao padre Macaire no ermitério de Optina, onde passa quatro dias em hesitações, depois volta a Moscou, com uma breve parada em Abramtsev em casa de Aksakov: "Como ele tem o espírito sofrido e os nervos à flor da pele", observa a filha de Aksakov.

Outono-inverno de 1851. Luta contra o tempo para concluir *Almas mortas* e reeditar suas *Obras*. "O tempo não é o bastante para nada, como se o Maligno o roubasse", escreve a Aksakov. *Em 10 de outubro*, Pletniov obtém-lhe a licença para a reedição de suas *Obras* em quatro volumes, sem modificações, mas Gogol gostaria de um quinto volume com os *Trechos escolhidos* "completamente revistos e depurados..." *Em 20 de outubro*, Ivan Turguéniev vai encontrá-lo na casa do conde A. P. Tolstoi: "Fui vê-lo como se vai ver um homem extraordinário, genial, um pouco marcado: é assim que será julgado então por todos em Moscou... Eu tinha apenas o desejo de ver este homem do qual eu conhecia a obra quase de cor: é difícil fazer com que se entenda a ressonância mágica que então estava ligada a seu nome..." Ele o encontra muito abalado pela crítica de Herzen.

Janeiro de 1852. No ano-novo, ele confidencia ao irmão da senhora Smirnov que onze capítulos da segunda parte de *Almas mortas* estão concluídos. Mas para Aksakov, em 9 de janeiro, escreve: "O tempo passa tão rápido que não se chega a nada". Em meados de janeiro, a mulher de seu amigo, o eslavófilo Khomiakov, irmã de Yazykov, mãe de sete crianças das quais uma é afilhada de Gogol, adoece e morre em alguns dias (*26 de janeiro*). Profundamente abalado, Gogol fala durante dias a respeito desta morte; desinteressa-se de seu trabalho, reza e jejua. Entretanto, no dia 31 ele corrige as provas com Chévyriov.

4 a 10 de fevereiro de 1852. Quaresma. Gogol intensifica os exercícios piedosos, jejua, reza, ofícios durante o dia e à noite em sua paróquia e no oratório privado do conde A. P. Tolstoi. No dia 5, o padre Mathieu vem vê-lo, lê a segunda parte de *Almas mortas* e critica duramente certas passagens; ele negará ter dito a Gogol que deveria destruir tudo, mas Gogol grita: "Chega! Já não aguento mais!", quando ele evoca o Julgamento Final. *No dia 7*, depois de ter comungado, Gogol é transportado ao Hospital da Transfiguração onde se trata o "louco em Cristo" Ivan Koriéïcha, para lhe pedir seu conselho de "vidente". Ele se detém por um momento diante da porta, na neve, hesita, depois se vai. *Na noite de 8 ou 9*, ele acorda súbito, chama um padre e lhe pede os últimos sacramentos: "Ele se viu morto, escutou uma voz chamando-o..." *Em 9 de fevereiro*, última visita a alguns amigos.

Noite de 11 e 12 de fevereiro de 1852. Após a celebração de um ofício à noite e uma longa prece em seu quarto, às três horas da manhã, tendo apenas sua jovem criada ucraniana como testemunha, Gogol joga no fogo tudo que escreveu para a segunda parte de *Almas mortas*, se benze, vai dormir e chora. No dia seguinte, está tão fraco que o obrigam a permanecer no quarto, numa poltrona, e chamam, apesar de sua opinião em contrário, um médico.

13 a 20 de fevereiro de 1852. Longa agonia, segundo tudo indica voluntária: recusa qualquer conversa, qualquer alimentação, qualquer cuidado médico mesmo quando Chévyriov lhe suplica de joelhos, mesmo quando os padres o aconselham a aceitar. No dia 18, recebe em lágrimas os últimos sacramentos e deixa a poltrona e retorna ao leito, e a partir do dia 19 os médicos mais conceituados, chamados pelo conde Tolstoi, o "tratam" apesar de seus protestos (sangrias, moxas, gelo sobre a testa, cataplasmas, banhos frios e até mesmo passes magnéticos...). No dia 20, Gogol delira.

21 de fevereiro, quinta-feira. Gogol morre às oito horas da manhã.

22 a 24 de fevereiro de 1852. Funerais na igreja da Universidade de Moscou. O corpo é carregado por homens de letras, depois por estudantes, durante dois dias visitação ao caixão. No dia 24, translado, pelos estudantes, ao monastério São Daniel, em meio a uma multidão considerável. (A tumba será transferida, em 1931, ao monastério conhecido como Novas-Virgens.)

Março de 1852. As autoridades imperiais param a reimpressão das *Obras* (elas não serão reeditadas antes de 1855, depois da morte de Nicolau I), e o próprio nome de Gogol é praticamente interditado na imprensa. Ivan Turguéniev, por um artigo comovido publicado em *Notícias de Moscou*, é preso no dia 16 de abril, permanecendo fora de circulação por um mês e, depois, é exilado em suas terras.

Coleção **L&PM** POCKET (Lançamentos mais recentes)

1250. **Paris boêmia** – Dan Franck
1251. **Paris libertária** – Dan Franck
1252. **Paris ocupada** – Dan Franck
1253. **Uma anedota infame** – Dostoiévski
1254. **O último dia de um condenado** – Victor Hugo
1255. **Nem só de caviar vive o homem** – J.M. Simmel
1256. **Amanhã é outro dia** – J.M. Simmel
1257. **Mulherzinhas** – Louisa May Alcott
1258. **Reforma Protestante** – Peter Marshall
1259. **História econômica global** – Robert C. Allen
1260(33). **Che Guevara** – Alain Foix
1261. **Câncer** – Nicholas James
1262. **Akhenaton** – Agatha Christie
1263. **Aforismos para a sabedoria de vida** – Arthur Schopenhauer
1264. **Uma história do mundo** – David Coimbra
1265. **Ame e não sofra** – Walter Riso
1266. **Desapegue-se!** – Walter Riso
1267. **Os Sousa: Uma famíla do barulho** – Mauricio de Sousa
1268. **Nico Demo: O rei da travessura** – Mauricio de Sousa
1269. **Testemunha de acusação e outras peças** – Agatha Christie
1270(34). **Dostoiévski** – Virgil Tanase
1271. **O melhor de Hagar 8** – Dik Browne
1272. **O melhor de Hagar 9** – Dik Browne
1273. **O melhor de Hagar 10** – Dik e Chris Browne
1274. **Considerações sobre o governo representativo** – John Stuart Mill
1275. **O homem Moisés e a religião monoteísta** – Freud
1276. **Inibição, sintoma e medo** – Freud
1277. **Além do princípio de prazer** – Freud
1278. **O direito de dizer não!** – Walter Riso
1279. **A arte de ser flexível** – Walter Riso
1280. **Casados e descasados** – August Strindberg
1281. **Da Terra à Lua** – Júlio Verne
1282. **Minhas galerias e meus pintores** – Kahnweiler
1283. **A arte do romance** – Virginia Woolf
1284. **Teatro completo v. 1: As aves da noite** *seguido de* **O visitante** – Hilda Hilst
1285. **Teatro completo v. 2: O verdugo** *seguido de* **A morte do patriarca** – Hilda Hilst
1286. **Teatro completo v. 3: O rato no muro** *seguido de* **Auto da barca de Camiri** – Hilda Hilst
1287. **Teatro completo v. 4: A empresa** *seguido de* **O novo sistema** – Hilda Hilst
1289. **Fora de mim** – Martha Medeiros
1290. **Divã** – Martha Medeiros
1291. **Sobre a genealogia da moral: um escrito polêmico** – Nietzsche
1292. **A consciência de Zeno** – Italo Svevo
1293. **Células-tronco** – Jonathan Slack
1294. **O fim do ciúme e outros contos** – Proust
1295. **A jangada** – Júlio Verne
1296. **A ilha do dr. Moreau** – H.G. Wells
1297. **Ninho de fidalgos** – Ivan Turguêniev
1298. **Jane Eyre** – Charlotte Brontë
1299. **Sobre gatos** – Bukowski
1300. **Sobre o amor** – Bukowski
1301. **Escrever para não enlouquecer** – Bukowski
1302. **222 receitas** – J. A. Pinheiro Machado
1303. **Reinações de Narizinho** – Monteiro Lobato
1304. **O Saci** – Monteiro Lobato
1305. **Memórias da Emília** – Monteiro Lobato
1306. **O Picapau Amarelo** – Monteiro Lobato
1307. **A reforma da Natureza** – Monteiro Lobato
1308. **Fábulas** *seguido de* **Histórias diversas** – Monteiro Lobato
1309. **Aventuras de Hans Staden** – Monteiro Lobato
1310. **Peter Pan** – Monteiro Lobato
1311. **Dom Quixote das crianças** – Monteiro Lobato
1312. **O Minotauro** – Monteiro Lobato
1313. **Um quarto só seu** – Virginia Woolf
1314. **Sonetos** – Shakespeare
1315(35). **Thoreau** – Marie Berthoumieu e Laura El Makki
1316. **Teoria da arte** – Cynthia Freeland
1317. **A arte da prudência** – Baltasar Gracián
1318. **O louco** *seguido de* **Areia e espuma** – Khalil Gibran
1319. **O profeta** *seguido de* **O jardim do profeta** – Khalil Gibran
1320. **Jesus, o Filho do Homem** – Khalil Gibran
1321. **A luta** – Norman Mailer
1322. **Sobre o sofrimento do mundo e outros ensaios** – Schopenhauer
1323. **Epidemiologia** – Rodolfo Saracci
1324. **Japão moderno** – Christopher Goto-Jones
1325. **A arte da meditação** – Matthieu Ricard
1326. **O adversário secreto** – Agatha Christie
1327. **Pollyanna** – Eleanor H. Porter
1328. **Espelhos** – Eduardo Galeano
1329. **A Vênus das peles** – Sacher-Masoch
1330. **O 18 de brumário de Luís Bonaparte** – Karl Marx
1331. **Um jogo para os vivos** – Patricia Highsmith
1332. **A tristeza pode esperar** – J.J. Camargo
1333. **Vinte poemas de amor e uma canção desesperada** – Pablo Neruda
1334. **Judaísmo** – Norman Solomon
1335. **Esquizofrenia** – Christopher Frith & Eve Johnstone
1336. **Seis personagens em busca de um autor** – Luigi Pirandello
1337. **A Fazenda dos Animais** – George Orwell
1338. **1984** – George Orwell
1339. **Ubu Rei** – Alfred Jarry
1340. **Sobre bêbados e bebidas** – Bukowski
1341. **Tempestade para os vivos e para os mortos** – Bukowski
1342. **Complicado** – Natsume Ono
1343. **Sobre o livre-arbítrio** – Schopenhauer
1344. **Uma breve história da literatura** – John Sutherland
1345. **Você fica tão sozinho às vezes que até faz sentido** – Bukowski

lepmeditores
www.lpm.com.br
o site que conta tudo

IMPRESSÃO:

PALLOTTI
GRÁFICA

Santa Maria - RS | Fone: (55) 3220.4500
www.graficapallotti.com.br